KB076638

너도 나한테 거짓말 하고 있는 거지?

방사능 소녀

연출/각본 : 김일동

...너도 나한테 거짓말 하고 있는 거지?

방사능 소녀

■ Synopsis

2011년 세미는 남자친구 진수와 함께 비트코인을 직거래로 구매하기 위해 일본여행을 간다. 그렇게 500만원 시세의 비트코인을 가지게 되는데 하필이면 그날, 후쿠시마에서 원전폭발 사고가 발생해 버린다. 그렇게 11년이 지난 지금, 세미를 둘러싼 생각지도 못한 사건들이 시작된다.

■ 주요키워드

비트코인(BTC), 후쿠시마 원전사고(福島原電事故 복도원전사고)

■ 등장인물

- 허세미 (34)

이 이야기의 주인공, 비트코인과 관련된 사건의 중심의 있지만 사실 코인투자에는 관심이 1도 없다. 11년 전에 자신도 모르게 구매한 코인이 최고가로 상승하자 주변사람들의 행동이 변화하기 시작한다.

- 도진수 (38)

허세미의 남자친구, 갑자기 발생한 보험금으로 자신과 여자 친구 허세미의 코인을 구매한다. 이 이야기의 계기를 만드는 결정적인 인물이다.

- 의사(43)

동네의원의 원장, 진수와 함께 방사능에 오염된 세미를 치료(?)하는 일에 가담하게 된다.

- 동수(38), 동식(33)

동네에서 커피가게를 하는 사촌 형, 동생사이 둘은 서로 다른 방식으로 세미에게 지대한 관심을 가진다.

- 파지 할머니(72)

세미에게 반찬을 챙겨주며 호의적인 동네 할머니, 수레를 끌고 파지를 주우러 다니며 오르막길을 오르던 중 세미에게 도움을 받는다.

- 아영(34), 지원(34), 보미(34)

뷰티샵을 오픈한 아영과 그의 단짝친구들, 세미에게 호감을 느끼며 함께하게 된다.

- 정감독(46)

실력 있는 사진감독, 피팅 모델 일을 직업으로 하는 세미에게 가능성을 발견하고 호의적이다.

- 제과점 사장(50), 제과점 사장와이프(48)

동네에서 빵집을 운영하고 있는 사장과 와이프

- 김변호사(40대)

1. 동네 작은 카페

동수의 손에 쥐어진 스마트 폰 화면(SNS)에 한 여자의 모습이 보인다.

사진 속 여자의 얼굴이 의미심장하게 주목된다.

동수 : 바로 요 지지베가 세미야, 얼굴을 잘 봐둬.

동식 : 오... 형 소문대로 꽤 이쁘장하게 생겼는걸, 딱 내 스탈인데 (넋이 나감)

동수 : (동수 머리를 쥐어박으며) 야! 야 지금 이쁜게 중요한 게 아냐, 우린 어떻게든 예를 꼬셔내서 팔자를 펴야 한다구..

동식 : (무안) 아... 그거야 뭐 잘 알지만..

동수 : 너 언제까지 그 촌구석에서 구질구질한 인생 살래? 한번 떵떵거리며 폼 나게 살아봐야 하지 않겠어? 어! 형이 다 생각이 있어서 널 이곳까지 부른 거야

동식 : 그런데 애가 그렇게 돈이 많아? 설마?

동수 : 틀림없어, 내가 다 들은바가 있다구, 믿어도 되는 거야

동식 : 정말...?

동수 : (음흉한 눈빛, 고개를 끄덕)

폰 화면 속 세미의 모습이 실제 모습으로 바뀌며 미소와 함께 시선이 무언가를 주시한다. (과거 느낌의 영상)

2. 도심외각 도로 변 (과거 느낌의 화면)

2011년 (자막)

빨간색 구형 경차가 급하게 멈춰 서더니 남자 한명이 내린다. 한손에는 꽃다발이 보인다.

남자 : 세미야~!

동수 : (목소리만) 세미에게는 진수라는 남자친구가 있었는데, 한날은 어렵게 모은 돈으로 차를 뽑아 온 거야..

세미에게 꽃다발을 건넨다, 서로 미소를 짓고 가볍게 포옹하더니 차에 함께 탑승한다.

동식 : 와 운도 좋은 녀석이네, 쥐뿔 없는 녀석이 여자 꼬시는 능력은 제법인 가봐...

동수 : 그게, 그 친구 직업이 컴퓨터 AS기사인데 컴맹인 세미가 과제를 컴퓨터로 하는걸 항상 힘들어 했거든... 알려 준다면서 접근한 모양이야, 내성적이라 물어볼 친구하나 없었던 세미에게 친절한 진수는 컴퓨터를 알려주는 것 그 이상의 의지 대상 인거지

3. 진수의 차안

뒷 자석에 노트북과 케이스가 열린 컴퓨터 본체(AS스티커가 붙은), 모니터, 키보드 등이 어지럽게 놓여있고 카메라 앵글이 바닥을 비추며 그대로 돌아 기어레버 위로 세미와 진수의 함께 잡은 두 손.

세미가 꽃향기를 한번 맞다가 고개를 드는데 고급세단(벤츠)이 앞지르며 시선이 따라감

진수 : (멀어져 가는 세단을 보며 흥분) 세미야, 그러니까 어... 처, 첫 차는 이걸로 시작하자. 오, 오빠가 지금은 능력이 좀 부족하지만... 내가 손기술이 좋잖아 (타자치는 시늉) 컴퓨터도 잘하고 또, 또... 잘 고치니까 그러니까... 다음번엔

세미 : (꽃으로 진수의 입을 막으며) 지금도 충분이 좋은걸!

진수 : 그래? 내가 앞으로 돈을 많이 많이 벌도록 할께 (멋쩍은 미소), 아 그리고 나 이제 컴터 고치는 일은 더 이상 안 할라구

세미 : 그럼?

진수 : 대신 스마트폰 수리 할꺼야, 앞으로 그게 대세라네 빨리 갈아타야겠어

세미 : 그동안 한 게 아깝다. 오빠 다시 찾는 고객도 이제 점점 많아지고 있는데

진수 : 아냐, 뭔가 핫 한 게 있으면 빨리빨리 갈아타야해 아니면 기회를 놓친다구

세미 : 그런가...?

진수 : 그런데 아까 그런 차 사려면 얼마나 걸릴까나 한 1년, 2년 쯤 뒤엔... (혼자말로 중얼거리며 손가락으로 무언가 계산한다.)

세미 : (이런 진수를 귀여운 듯 물끄러미 바라본다.)

진수 : 세미야 어디로 드라이브 갈까? 응?

세미 : 오빠, 그전에 오늘 뭐 잊은거 없어! (천천히 얼굴을 내민다)

진수 : 뭐였더라... 아하

키스하려는 분위기, 서로의 입술이 닿기 직전에 그림자가 지고 뒤쪽으로 급 고개를 돌리며 눈이 동그랗게 놀란다.

대형트럭의 앞모습이 화면을 덮는다.

세미, 진수 : 아! (진수와 세미 서로를 감싼다)

끼익~ 쾅!

세미, 진수 : 아파, 진짜 아파 아... 아이야

페이드 아웃

3. 정형외과

병실, 2개의 침대

세미와 진수, 목과 가슴 팔에 붕대가 칭칭 감겨져 있다.

세미 : (천정을 보며) 경차여서 이렇게 크게 다친걸까...?

진수 : (안색이 급 바뀌며 눈알만 돌린다) 그게 무슨 소리야?

세미 : 글차나, 몰랐는데 겪어 보니 경차는 역시 위험한 것 같아

진수 : (몸을 비튼다) 뭐? 그게 아니지, 대낮에 저렇게 술쳐 먹고 처박아 버렸는데 배겨날 차가 어디있겠어... 근데 경차예긴 무언가 나를 비꼬는 소리로 들리네, 나 능력 없는 사람이라고, 아...윽

세미 : 아니야, 절대 그런건

진수 : 딱, 그거고만

세미 : 내 말은 경차가 작으니까 그렇지 않을까 하는 거지.

진수 : 뭐! (욱해서 급하게 상반신을 일으켰는데 침대 아래로 떨어진다.) 아...아이야!

간호사가 놀라서 급히 들어와 바닥의 진수를 일으키고 있다.

세미 : 죄송해요. 저희 오빠가 좀 심하게 욱 하는 게 있거든요. 참을성이 잘 없어서

이때 보험직원이 합의를 보러 병실로 들어왔다. 두 사람의 상태를 번갈아 보며 갸우뚱 거린다.

보험직원 : 그러니까 차 수리비용과 병원비 전액은 당연히 보상해드리고요. 그리고
합의금으로 두 분께 각각 500만원씩 1000만원 드리도록 하겠습니다.
부디 이선에서 합의를 좀 부탁드립니다.

진수 : (또다시 벌떡 상체를 일으킨다.) 뭐라구요! 아, 아!

간호사 또다시 놀라서 쳐다본다.

진수 : 아... 그것 가지고는 절대 안되죠!! 거기다 가해자는 술까지 마셨잖아요.
아, 내 목...

보험직원 : (고심하는 표정, 한숨을 한번 내쉬더니 병실 밖으로 나간다)

4. 병실 복도

보험직원 : (휴대전화) 아... 선생님 이것들이 초장부터 너무 세게 나오는데요.
음... 네... 이번경우는 선생님이 음주상태라 합의가 만만치 않을거에요,
이럴 경우는 최소 5000만원 있어야.... (한숨) 그럼 애들이 어리고 어리버리
한 것 같으니 제가 어떻게 한번 해보겠습니다.

5. 병실

보험직원 : 그럼 한 사람당 100만원씩 더해서 총 1200만원은 어떨까요? 더 이상은
저도 쉽지 않습니다.

서로 눈빛을 교환하는 진수와 세미, 진지해진 진수의 표정, 잠깐이 적막, 보험직원의 땀

진수 : 음... 뭐 썩 내키진 않지만 (납득하는 듯 고개를 끄덕인다)

(세미: 오빠 불쌍하다. 일용직트럭, 진수

보험직원 : (너무 간단하게 끝나 오히려 놀란다) 아, 너무... 감사합니다.

진수가 붕대감은 손으로 서류에 싸인을 한다.

밖으로 나가는 보험직원

6. 병원복도

보험직원 : 고개를 갸우뚱거리며 다시 병실쪽을 힐끔 쳐다보더니 가버린다.

7. 병원옥상(정원)

링거가 매달린 휠체어에 세미와 진수가 앉아있다.

진수 : 캬~ 1200만원이라, 죽이는데, 우리차가 겨우 100만원 인데, 바보 같은 녀석
역시 뭐든 좋게좋게 해주면 얕잡아 보는 거야, 세게 나가야 하는 거라구!

세미 : 그런데 이 돈이며 큰 차 살 수 있겠지...?

진수 : (또 욱하며) 아니, 자꾸... 이 정도론 어림없거든! 왜 자꾸 큰 차 타령이야?

세미 : 그치만, 우리의 안전을 위해선 큰 차가 필요할 것 같긴 해

난간 아래쪽으로 큰 고급세단이 주차 되어있는 것이 보인다.

진수 : (표정이 진지하다) 나한테 좋은 방법이 하나 있긴 해

세미 : 머! 어떤 방법?

진수 : 비. 트. 코. 인

세미 : 코인...? 그게 먼데?

진수 : 내가 작년부터 염두 해 둔 좋은 정보가 있긴 해. 극소수의 사람들만 아는 건데
이게 미래에는 돈보다 훨 가치가 높아질 거야, 그동안 내가 밑천이 없어서
투자를 못했던 거지

세미 : 그치만 난 그런 거 잘 모르는데, 꼭 도박 같아 보여. 문제생기면 어떡해?

진수 : 문제...?

먼 하늘을 비춘다. 구름이 아름답다.

진수 : 어차피 이 돈은 우리한테 생긴 꽁돈 이잖아. 그냥 없는샘 치고 한번 투자해 보는 게 좋겠어. 요즘 같은 세상엔 이런거 아님 죽을 때 까지 어찌 큰돈을 벌겠어. 무언가 핫 한게 있으면 빨리빨리 갈아타야해 아니면 기회를 놓친다구!

세미 : 힝, 난 이 돈으로 회복하면 여행가고 싶었는데... 난 오빠가 무슨 말 하는지 아무것도 잘 모르겠어

진수 : 내가 우리 둘 꺼 각각 500씩 사둘게.

세미 : 헐, 그렇게나 많이...?

진수 : 그리고 남은 돈으로 여행가자.

세미 : (급 미소)정말? 난 예전부터 일본에 가보고 싶었어

진수 : 일본? 와 진짜 대박이다 대박 너 내 마음속에 들어갔다 나왔냐?

세미 : 뭐가?

진수 : 코인을 직거래 하려면 일본에 가야 하거든

세미 : 난 후쿠시마에 예전부터 한번 가보고 싶었어 大好きです! (다이스키데스!)

진수 : 으 흐흐흐 (세미의 반응은 안중에도 없다)

세미 : 그 곳에 기타가타라멘이 그렇게 맛있데 おいしい, おいしい (오이시~!)

다시 먼 하늘을 비춘다. 구름이 아름답다.

진수가 한손을 뻗어 구름을 잡는 시늉을 한다.

페이드 아웃

8. 일본 (후쿠시마현)

가부끼 배경음악

료칸의 정원

진수와 세미는 구식가옥의 평상에 앉아 있다 세미의 품에 기념품으로 산 고양이 인형이 안겨 있다.

인형 얼굴 클로즈업

세미 : 오빠가 고른 이 인형 무언가 표정이 음침해 보여 왜 하필 이런 걸 산거야? 다른 이쁜 것도 많던데...

진수 : 다 이유가 있지 잘 가지고 있어, 우리에게 구원을 가져다줄 인형이니까 (두리번) 이제... 올 때가 됐는데

세미 : 누가?

진수 : 아 저기 왔다. (일어서며 손을 흔든다.) 하이, 나카모토 상!

진수가 급히 달려 나가고 세미가 물끄러미 이 관경을 바라본다.

진수가 후드를 쓴 남자(뒷모습)와 거래를 하고 있다. 가지고온 돈다발을 건낸다 뒤로 세미가 평상에 누워 인형을 지켜 세워들며 살짝 흔들어 본다.

세미 : (정원 이곳저곳을 돌아본다.) 오빠, 나 여기 좋아 그냥 한국에 안돌아 가고 여기 계속 살고 싶다.

진수 : (아랑곧 않고, 평상에 걸터앉아, 노트북 화면에 계속 집중되어있다.)

세미 : 오빤 뭘 그리 바빠?

진수 : 마지막으로 이걸 정리해야 끝나 (노트북 타자를 친다)

세미 : (풀잎과 꽃들을 살펴본다. 미소) 와~ 일본은 더 남쪽이라 봄이 빨리 오나봐

진수 : (계속집중)

세미 : 오빠?

진수 : (계속집중)

세미 : (못마땅한 표정 옷깃을 잡고 한번 째려봄) 우리 라멘 먹으러 가자.
나 최고로 잘하는 집 알아났거든... 응? 기타가타라멘 데스?

진수 : (계속집중) 어...어

세미 : (진수의 반응에 시큰둥한 표정)

9. 라멘집

라멘 두 그릇이 나왔다.

일본주방장 : 北方ラーメンです。おいしくお召し上がりください。
(기타카타 라멘입니다. 맛있게 드세요)

진수는 라멘에 관심이 없다. 여전히 노트북 화면에 집중되어 있다.

세미 : 오빠...?

진수 : 응 먼저 먹어... 바로 이거야! (화면을 보면서 무엇인가를 종이에 적고 있다.)
(암호인 12개의 단어)

세미 : 자기야~ (애써 애교)

진수 : (세미를 거부하며) 먼저 먹으래도,

세미 : (진수가 적고 있는 종이를 보려는데 입에 물고 있던 단무지가 위로 떨어진다.)

진수 : (종이를 털며 짜증표정, 세미를 힐끔 본다.) 아놔... 그 고양이 좀 줘 바

세미 : 어? 이건 왜?

행동이 굼뜬 세미, 진수가 인형을 급 빼들자 라멘 그릇이 바닥으로 엎어진다.

전혀 신경 쓰지 않고 인형 입속 깊은 곳에 방금 적었던 종이를 접더니 집어넣는다.

진수 : 다 됐다!

바닥에 엎어진 라멘

세미 : (빡침)

진수 : (밝은표정) 으 흐흐흐, 이 인형 속에 보관된 것이 세미 너꺼, 코인 지갑의 시드구문이야! 이런 곳에 숨겨놓으면 아무도 못 찾겠지,,, 역시 난 천재야

세미 : 뭐?! (신경질)

진수 : (분위기를 알아채지 못하고) 어, 개인 암호 같은 거라구 이 메모 잘 가지고 있어 야해, 이게 나중에 코인을 찾을 수 있는 출금 비밀번호나 마찬가지... 이것만 있으면 코인은 안전 하다구, 야옹아 잘 부탁한다.

세미 : 오빠, 여행 와서 계속 며칠째 이게 뭐야!

진수 : 내가 뭘!

세미 : 지금도 그렇잖아!

진수 : 소리 지르마, 이게 다 우리 미래를 위해 하는 짓 아냐, 너 큰 승용차 타고 싶다며!

세미 : 뭐? 미래? 코인? 난 그딴거 안 믿어. 남자친구라 하는 게 여행 와서 한심하게 도박이나 하고

진수 : 도박! 너 지금 말다했어?

세미 : 그래 도박! 내가 틀린말 했어? 그게 다 도박이나 마찬가지지

진수 : 너, 나 원래 일본 싫어하는 거 알지? 왜놈 새끼들! 성질 같아선 일만 끝내고 여행이고 뭐고 바로 한국 가려고 했건만 기껏 따라다녀 주니까 별소리를 다하네. 에이~ 쪽 바리 새끼들

세미 : 뭐? 기껏 따라와 줬다고?

진수 : 당연하지 우리나라가 이런 왜놈들한테 침략 당했던 거 그거 역사 몰라?

세미 : 칫, 그게 이거랑 무슨 상관이야.

진수 : 너 국사 시간에 졸았냐?

세미 : 아... 됐어 됐다고, 이럴꺼면 오빤 집에가 나 혼자 여행 할래

진수 : 내가 그런다고 못 갈거 같아...?

세미 : 가버리기만 해봐 그럼 우리 끝이야!

10. 료칸의 정원

하늘에 비행기 날아가는 장면

평상에 앉아 하늘을 바라보다 붉어진 눈시울, 고개를 떨구는 세미
(고양이 인형을 들고 있다)

세미 : (다시 고개를 하늘로) 도박에 환장한 세끼! (인형의 얼굴을 몇 대 두들겨 팬다)

하늘에 갑자기 새들이 무리지어 날아간다. 무언가 이상함을 느낀다.

세미 : (일어선다) 뭐지~?

하늘에 "펑~!!!!" 하는 큰소리와 함께 핵 구름이 등장 한다.

세미 급히 귀를 막고 앉는다.

세미 : 꺅~~~! (다시 일어서려고 하는데 "펑!" 진동과 함께 땅바닥에 쓰러지며 머리를 딱딱한 곳에 부딪친다. 몸이 대자로 뻗어버린다.)

세미의 얼굴위로 재 가루가 떨어진다. 벌어진 입속으로 들어간다.

세미 : (괴로워한다.) 콜록 콜록

11. 타이틀 등장

방사능 소녀

전자음의 요란한 타이틀 음악

후쿠시마 원전 폭발 뉴스장면, 비트코인 이슈 뉴스 장면, 코인 관련 이슈 (대박, 사기 등)

화면에 빠르게 교차로 등장

12. 동네 작은 카페

동수 : 때 마치 그때 후쿠시마에 원전폭발 사고가 일어 난거지. 벌써 10년도 더 넘었네 무려 10년..

동식 : 그래서 중요한 게 뭔데?

동수 : 아... 이 멍청한 녀석, 잘 생각해봐 그 당시에 코인을 사놨으면 지금 몇배나 뛰었겠냐? 당시 시세가 500만원인데... 아무리 못해도 1000배는 될 걸, 수백억은 족히 될 거라구.. 아니,아니, 그 이상이야 이건 무조건 초대박 인거지!
(흥분하며 자리에서 벌떡 일어난다.)

동식 : 헐,...! 대박이네.

동수 : (다시 세미의 사진) 그러니까 요 지지배를 잘 구슬려서 우린 인생역전 해야지

동식 : 에이, 그래도 그건 쫌... 그런다고 코인을 주겠어?

동수 : 모를 소리! 당시 원전폭발 사고 때 충격을 받았는지 애가 멍청해,
(손가락으로 자신의 머리를 빙빙 돌리며) 자기한테 좀만 잘 해주면 코인을 막 나눠준데,

길거리 장면. 할머니가 파지수레를 끌고 경사길을 올라가는데 힘들어 하는 표정, 순간 밝아지는 표정, 세미가 와서 뒤에서 밀고 있다. 떨어진 빈 박스도 주워준다. 미소 짓는 세미

동수 : 아랫동네 파지 줍는 할머니는 가끔 반찬 챙겨주다가 비트코인을 5개나 받았데, 지금 파지 줍는 거 치우고 근사한 승용차 몰고 다니잖아.

검은 세단에서 내리는 할머니 장면 (운전용 흰 장갑 낀 손, 옷차림이 고급스럽다)

동식 : 와~ 근데 비트코인 5개면 얼마지...?

동수 : 그걸 몰라서 물어! 여기서 머리 하얘질 때 까지 커피 뽑는데도 택도 없을 걸?

그때 세미가 카페로 깡총 걸음으로 들어와 두 사람 앞에 서있다. 어딘가 모자라 보인다.

동식 : (깜짝 놀람) 어! 아... 어서오세요. (얼굴이 붉어짐) 이쁘다 (혼자말)

세미 : こんにちは!^^ (곤니찌와!). 저기, 시원한 커피가 먹고 싶어요

동수 : (훅 들어오며) 어여쁜 미인한테는 몇 잔이라도 그냥 드릴수가 있어요. 하하하.

세미 : 네?

동수 : 바로 준비해 드리겠습니다! (동식에게 귓속말) 항상 친절하고 상냥하게 알겠냐구?

세미 : (동식을 보며) 근데 처음 보는 분이시네요, 우리 동네 분은 아니신거 같은데
새로 일 하시나봐요?

동식 : (관심에 기분이 좋다, 넋이나감) 헤헤, 사촌형이 좀 도와 달라고 해서 오늘부터
출근 했어요

세미 : 어머나~! 그래요 반가와요^^ 가게가 작은데도 생각보다 일이 많나 봐요?

동식 : 헤헤, 그게 아니라 사촌형이 자기랑 합세해서 세미씨를 반드시,

동수 : (급 동식이 입을 막는다) 이 녀석이...

세미 : 네? 저를...?

동수 : 네, 세미씨에게 반드시... 맛있는 커피를 맛보게 해야 한다고 그랬죠.
여기 주문하신 시원한 커피가 나왔습니다. (커피를 한번 의미심장하게 바라본다.)

세미 : (바로 한 모금 음미한다) 와~! おいしい おいしい (오이시이 오이시이~) 까르르르

세미가 좋아하는 모습을 보며 동식도 미소 짓는다.

세미 : 계산요

동수 : 어허, 계산이라니? 그냥 드세요

세미 : 네? 저번에도 그렇고 자꾸 이러셔도 되요?

동수 : 당연하죠.

세미 : 근데 언젠가부터 동네 사람들 몇몇 분이 저한테 넘 잘해주기만 하는 거 같아요.
너무 희한한 일이죠. 제가 딱히 잘 한 것도 없는데..

동수 : (빨대로 커피를 마시는 세미를 음흉하게 주시한다.) 음...

세미 : 친한 친구들이 많이 생긴 것 같아서 전 요즘 너무 행복해요!

동식 : (급하게 끼어들며) 당연하죠~!! 그건 세미씨가 이렇게 이쁘니까요~♡

가게 문이 열리며 파지 할머니가 들어온다. (옷차림이 좋아 보인다)

세미 : 와, 안녕하세요 할머니 여기서 마주치네요. 반가워요. 嬉しい (우레시이) 커피 드시러 오셨어요?

할머니 : 아니 나는 커피 못 마셔 통 잠을 못자서, 늙으면 다 그런가봐 유자차나 있으면 한잔 줘봐 (흰 장갑을 벗는다)

세미 : 그래요? 저는 요즘 커피 양이 늘었는데도 이상하게 잠만 더 많이 오는 것 같아요(한 모금 하더니 커피잔을 바라보다 하품) 사실 지금도 졸리긴 해요.

하품하는 세미를 힐끔 쳐다보는 동수

세미와 할머니 같은 테이블에서 차를 마신다.

동수 : 저, 저 노인네가 그 파지 할머니야

동식 : (한번 쳐다 봄)

세미 : 꺄르르르, 할머니 그래서 제가 말한대로 큰 차 뽑길 잘했죠? 작은 차는 왠지 불안해서 안되겠더라구요..

할머니 : 요즘은 파지 줍는 일을 안 하니까 뭔가 허전해

세미 : 아참, 저번에 가져다주신 짱아치랑 반찬들은 넘 맛있게 먹고 있어요.

할머니 : 더 가져다줄까?

동수와 동식이 주방 한쪽에서 조용한 말로 쑥덕거리다.

동수 : 역시... 할멈 신수가 아주 훤 하구만 훤해, 옷도 어디 메이커 인거 같고

동식 : (흐뭇한 표정으로 계속 세미쪽을 힐끔 힐끔 바라보며 커피를 뽑는다) 으흐흐

동수 : 너 왜 이렇게 어수선하냐? 좀 자연스럽게 행동해 무슨 꿍꿍이가 있는 것처럼 보이잖아 근데 갑자기 주문도 안 들어온 커피를 왜 그렇게 많이 뽑아?

동식 : 세미씨 주려고, 세미씨가 좋아하잖아

동수 : 와, 이 자식 완전 오바하네, 앞으로 세미가 마실 커피는 내 허락 맞고 뽑아

동식 : (띠꺼운 표정으로 동수를 한번 처다 보고는 다시 커피를 바라본다)

커피위에 하트모양의 크레마가 보인다.

13. 아영이네 뷰티 샾

손톱위에 화려한 네일 디자인이 그려지고 있다.

네일 디자이너 아영이가 지원의 손톱을 꾸며주며 옆에서 보미가 함께 수다를 떨고 있다.

셋이 사이가 좋아 보인다.

지원 : (껌을 씹으며 자신의 손톱을 요리조리 바라본다) 아영아, 너 이번에 차린 이 가게 대박 나겠다. 어쩜 이리 내 마음에 쏙 들게 해놨네?

아영 : 난 원래부터 잘했거덩, 너 오늘 따라 기분이 들떠 보이고만 혹시 너 맘에 드는 남자 한명 물었냐?

지원 : 남자야 항상 붙지 내가 좀 이쁘잖아 (손거울을 들어서 본다)

보미 : 치, 혼자 이쁘면 머하냐? 맨날 붙는 사내들은 먼가 하나 부족하다고 투덜 되는 주제에

지원 : 예리한년, 핵심을 콕 찌르긴! 아... 어디 돈 많고 잘생기고 학벌도 되고 집안도 되고 능력도 되고 마음은 착한 그런 소박한 남자 없나... 내가 완전 사랑해 줄 수 있는데 쪽, 쪽 (거울에 뽀뽀하는 시늉)

보미 : 쯧쯧...

아영 : 예들아, 오늘 내가 이 먼 우리 동네까지 오라고 한 것은 다 중대한 이유가 있어서야

보미, 지원 : 응?

아영 : 그게 이곳에 아주 흥미로운 소문하나가 돌거든!

보미, 지원 : 뭔 소문?

아영 : 이 동네에 한 이쁘장한 우리또래 여자 애가 있는데...

지원 : 뭐시? 나보다 이쁘데?

보미 : (한 대치며) 작작 좀 하시지!

지원 : 내가 뭘?

아영 : 야! 집중들 좀 해... 그러니까 게가 돈이 굉장히 많테 주체하지 못할 만큼 한
수백억? 수천억쯤 된다나...

지원 : (화들짝)뭐...! 수백? 천억?... 오랄라, 치... 근데 왜 이런 후진 동네에 사냐?
저기 물 좋은 강남 압구정 청담동 같은데 살아야지

아영 : 그게 정신이 좀 헤가닥 한 거 같데, 예전에 일본 여행 때 무슨 폭발 사고가
있었다나... 그래서, 맨날 웃고 다니고 말투가 일본말도 막 썩어서 하고 그런데

지원 : 그렇게 돈 많으면 내가 유혹해서 확 꼬셔 버려야겠어! 혹시 알아? 쫌 때 줄지

아영 : 야, 게 여자야 여자, 남자 아니거든

지원 : 돈 많은데 남자여자가 머가 중요해? 그냥 돈만 많으면 됐지

보미 : 너 점점 취향이 이상해지는 거 같아

종소리 (딸랑, 딸랑)

샵의 문이 열리며 세미가 들어온다. 한손에 커피 4잔을 담은 케리어를 들고 있다.

지원 : (의식하며 자리에서 일어나며) 나 반대 손은 다음에 해주고 손님부터 받아

아영 : (세미를 보며 눈이 동그레지는데~ 곧 감정을 숨긴다) 어서오세요.
〈아영이네 뷰티샾〉입니다.

아영이 들어오는 세미쪽을 바라보는데 매장 밖 윈도우에서 동식이 손으로 이마에
그늘을 만들어 세미를 바라보고 있다.

아영의 시선이 잠깐 동식에게 가는데 동식이 사라진다. 별로 대수롭지 않게 여긴다.

세미 : (가게를 살피며) 여기 새로 오픈 했나봐요,

세미를 맞이하는 아영

아영 : (세미를 지긋이 주시하며)네~! 이번주 부터 영업시작 했구요,
저희샵은 네일과 메이크업도 하고 있어요 많이 애용해주세요~ ㅎㅎ

세미 : 네~, 혹시 출장도 하나요?

아영 : 물론이죠, 이쪽으로 연락주세요 (명함을 내민다.)

세미 : (명함을 주시한다.) 와, 너무 좋아요!

세미가 자리에 앉았다. 테이블 위에 함께 가져온 커피 케리어(4잔)를 내려놓는다.

아영 : 와, 페이스가 베리 큐티, 큐티 하시네요. 마치 모델 같으시다.

세미 : 제가 그렇게 보이긴 하나요?

아영 : 저도 이 바닥일이 꽤 오래라 척 보면 느낌이 있다구요! 맞죠?

세미 : 네... 하지만 아직 뭐 별로 대단하지 못해요. 그냥 불러 주는데가 있으면
고맙고... 아직은 제가 매력이 부족한가 봐요

아영 : 제가 장담하는데 분명 더 잘 되실거예요!

세미 : 그럴까요?

아영 : 그럼요, 훨씬~

세미 : 정말 그러면 좋겠어요. 그래서 반드시 황미나씨 같은 멋진 모델이 되고 싶어요!
(눈가가 초롱)

아영 : (카달로그를 펼치며) 아, 요런 디자인은 어때요? 이거 얼마전에 황미나씨가 해서
이슈가 된 디자인이기도 한데

세미 : いいですね。いいですね。이이데스네! 이이데스네! (좋아요, 좋아요)

순간 보미와 지원이 고개를 급 돌려 세미를 바라본다.

보미 : (아영을 보며 작은 목소리, 손가락으로 세미를 가르킨다.) ...혹시 예?

아영 : (끄덕, 끄덕) 맞어, 맞어 (입 모양만)

세미 : (무언가 의식한 듯 고개를 들자 둘과 눈이 마주친다.)

보미, 지원 : (움찔) 아... (정적)

세미 : (뭔가 알아챘다는 미소) 어... 혹시 아까부터 이 커피가 드시고 싶었던 건가요?

보미, 지원 : (침을 꿀꺽) 아... 아, 네 맞아요. 사, 사실 사러 가려니까 귀찮고 해서^^;

세미 : 아하, 그럼 이거 같이 마셔요. 어차피 저한테는 넘 많아요. 다 먹지도 못해요

지원 : 정말요? ... 감사합니다. 하하하... 하하하...

4명이서 커피를 하나씩 들고 있다.

네일하는 장면을 주시 (핫 핑크색 문양의 손톱이 그려진다)

아영 : 수고하셨어요, 이제 다 끝났어요

세미 : 와, 쓰끼데스~ 쓰끼데스 (맘에 들어요) 감사합니다. 얼마죠?

아영 : 계산은 안 받을께요

세미 : 네?

아영 : 오늘 우리가 운이 좋은가 봐요. 커피 얻어 마신걸로 고마웠어요

세미 : 글치만...

아영 : 하하, 대신 저희샵에 자주 오세요! 아주 자주~!

세미 : 아, 네네 아리가또, 아리가또

아영 : 그리고 이건 오픈기념으로 준비한 선물이에요 (작은 바구니를 건넨다)

세미 : 네?

아영 : 수제 캔디에요. 정성이 아주 많이 담긴거죠.

세미 : 세상에나 이런 것 까지... 아리가또 고자이마스~

아영 : 다 먹고 맛있으면 언제든 또 말해요 또 만들어 놓을테니

세미가 나간다. (문을 여는데 바깥에 빨간 경차가 세워진 것이 어렴풋이 보인다.)

지원 : (커피를 들고) 야, 대박 진짜 돈이 많은가봐 다 먹지도 못할 커피를 저렇게나
많이 사고 무분별한 과소빌세

보미 : (커피를 들고) 그러게...?

아영 : 이렇게 친절을 베풀어 놔야 여기 자주 온다고~ 보아하니 나이도 우리랑 비슷해
보이는데 차차 친해지면서 계속 접근해야겠어, 너희들도 접근 협조해줘.
팀플레이가 중요하니까

지원 : 오~ 아영은 역시 대단해, 치밀하단말야 사탕까지 준비하고, 나도 아까 그 수제
사탕 하나 줘봐 맛 좀보게 (손을 내밀다)

아영 : 안돼

지원 : 뭐, 오픈기념 선물이라며 설마 저게 다였어? 고작 한 바구니?

아영 : 응, 오로지 세미만을 위한 거니까 (음흉한 미소)

보미 : (커피를 다 마시고 빈 컵을 바라본다) 근데 왜 이렇게 커피를 많이 산 건까...?
정말 돈이 많은가 보다...

14. 동네 제과점

가게주인 : 여기 식빵은 3500원, 그리고 이건 서비스입니다.

봉지에 빵이 한가득 담겨있다. 식빵보다 훨씬 많다

세미 : なぜ? 나제 (왜?), 서비스를 이렇게나 많이요?

가게주인 : 헤헤, 세미씨라고 했죠? 그러니까 저는... 세미씨랑 친구가 되고 싶어서요.
그리고 배달도 가능하니 빵이 다 떨어지면 언제라도 편하게 전화주세요!
친구끼리 집도 알면 좋고 하니,

세미 : 친구요? (어리둥절 표정) 어...

제과점 앞, 세미가 큰 봉투를 들고 나온다.

가게주인이 고개를 내밀어 세미가 간 것을 보고는 자신의 아내와 무언가를 쑥덕거린다

15. 길가

세미가 걷는다. 꽃들이 피어있고 콧노래가 나온다. (경쾌한 음악)

꽃 가까이 가더니 향기를 맡는다. 좋아한다.

세미 : 幸せだよ 幸せだよ (행복해, 행복해)

깡총 걸음을 걸어보기도 하다.

즐겁게 걷는데 비가 한 두 방울씩 떨어진다.

세미 : 아레(あれ)...? (어라?)

그러다가 갑자기 쏟아진다.

작은 처마 밑으로 들어가 비를 피한다.

당황 하는 세미 앞에 어느 후드를 쓴 남자가 나타나더니 고개를 숙이며 우산을 내민다.

세미 : (우산에 당황스러워 한 발짝 뒤로 물러섬) 누구세요...?

남자 : (세미의 한쪽 손을 들더니 우산을 쥐어준다.)

세미 : 이러면 그쪽이 비를 맞잖아요

남자 : (작은 선물 상자를 함께 건넨다)

세미 : 이건 뭐에요...?

남자 : (세미의 다른 한손에 선물상자를 쥐어준다.)

여전히 얼굴을 드러내지 않는 남자, 혼자서 저 멀리 가버리다.

세미 : (얼떨떨한 세미의 표정)

세미 뒤를 한번 돌아보고는 반대쪽으로 가던 길을 간다.

세미의 뒤쪽 건물 틈새에서 동식이 등장하더니 세미의 뒷모습을 한번 바라보고, 이번에는 고개를 돌려 멀어지는 남자의 뒷모습도 바라보더니 인상을 찡그린다. 곧 남자를 뒤 따라간다

16. 세미의 집

들어오면서 우산을 접어 현관 옆에 둔다. 물기가 남아서 바닥에 뚝뚝 떨어진다.

젖은 머리를 닦는 세미 그러다가 자신의 손톱을 바라보며 만족해한다.

여기저기 벽에 붙어있는 모델세미 화보 사진들

띠리리링~ (휴대폰 벨 소리)

세미 : 어 엄마, 어쩐 일이야? 응 딸내미 당연히 잘있지 응 응... 엄마 나 요즘 참 신기해 언제부터인지.. 참 희한한 게 동네사람들 몇몇이 나한테 넘 잘해 줘.

세미가 책장 가까이 간다.

세미 : 글세, 아무도 돈을 안받아, 지금 집에 공짜로 받은 물건들이 쌓였어,

책장 위에 올려진 악세사리, 과일바구니, 사탕바구니, 가방, 와인, 포장도 뜯지 않은 냄비 등 선물들이 가득 올려져 있다.

세미 : 진짜라니까..! 아까도 모르는 남자한테 선물도 받았어. (선물상자를 만지작)
에이, 조심할꺼 까지야... 설마 그러겠어? 흐흐흐,
아 아니야 됐어 반찬 안 붙여도 돼, 지금 냉장고에 정말정말 맛있는 짱아치랑 밑반찬들이 가득 해. 나랑 친하게 지내는 동네 할머니가 계시거든 어, 어
(전화기 한번 쳐다본다)
엄마, 나 지금 섭외 전화 온 거 같아, 다시 전화할게 알았어 엄마, 나도 사랑해

전화를 돌리는 세미

세미 : 네 감독님... 네, 네
저번촬영 사진은 아직 확인을 못했어요. 제 노트북이 고장이 나서 여태껏 메일 확인을 못 했어요. 저도 그러고 싶은데 요즘 AS대기자가 부쩍 많대나? 뭐래나?

에휴... (# 세미의 노트북이 비친다. 하트 스티커가 붙어있다)
다음 주요? 물론 가능하죠.
네 네
대박~! 정말이에요?
세상에나! 감독님, 너무 감사합니다.

기쁜 표정으로 전화를 내려놓는 세미 반대 손에든 선물상자를 바라 본다

세미 : 누굴까...? 참 특이한 사람이야.

포장을 열었는데 예쁜 마카롱 세트가 있다.

세미 : (미소) 오~ 제법인데

한입 베더니(입 클로즈 업) 굉장히 만족스런 표정을 짓는다. (씹는 소리 크게)

17. 스튜디오

경쾌한 비트의 음악

팡, 팡 카메라의 플레시가 터진다.

세미가 여러 포즈를 잡고 있다.

감독 : 좋았어, 좋아~ 오케이

감독 : 여기까지 하고 잠깐 쉬었다 다시 갑시다.

한쪽에 세미가 앉아있고 그 앞으로 아영, 지원 보미가 함께 있다.

아영의 메이크업 박스가 보인다.

아영 : (세미의 얼굴을 붓으로 두들기며) 대박! 에스콰이아 촬영이라니 내가 분명 잘 될 꺼라고 했죠? 이건 분명 우리 샵의 어마어마한 자랑이 될 꺼야!

세미 : 저도 몰랐어요. 갑작스레 이런 큰 기회가 올 줄이야, 아영씨 출장 스케줄이 마침 비어서 다행이에요 (무의식적으로 팔 안쪽이 가려운지 가볍게 긁는다)

아영 : 세미씨, 일정이면 어떻게든 맞춰야죠!

지원 : 멋지다 세미, 나도 모델이나 해볼까? 페이가 좀 되려나?

보미 : 또 하다가 금방 실증내려구?

지원 : 요 지지베가 다시 한 번 나의 진정성에 또 찬물을 껴얹네..

세미 : 세분은 늘 함께 다니시나 봐요? (계속 긁는다)

아영 : 그렇기도 하지만, 오늘은 세미씨를 응원 온 거에요!

보미 : 맞아요~ 세미씨, 응원..

세미 : 정말.. 저를요?

아영 : 오늘은 세미씨한테 매우 특별한 날이잖아요!

보미 : 아~ 나도 세미처럼 이쁜 옷 입고 사진 찍고 싶다.

촬영스텝 한명이 빨대가 꽂힌 커피를 한잔만 들고 와서 세미에게 건넨다.

스텝 : 세미씨, 이거 드세요, 감독님이 전해 주래요. 친구 분들이 오시는 줄 모르고 한잔 밖에 준비 못 했어요 (미안해하는 표정)

세미 : (건네받는다.)

촬영스텝은 저만치 떨어진 감독쪽으로 간다.

스텝 : (세미쪽을 한번 보더니) 그런데 감독님 도대체 왜 그러신 겁니까?

감독 : 뭐가?

스텝 : 아니, 이 에스콰이아 촬영 원래 데로라면 대 모델이신 황미나씨가 하기로 한 거잖아요. 잔뜩 기대하고 있었는데 뭐 저런 듣보잡 애한테 기회를 주신 겁니까?

감독 : 내가 다 생각이 있어서 그래

스텝 : 그래도 이건 좀 그렇잖아요!

감독 : (스텝을 한번 노려본다)

스텝 : 휴~ (세미쪽으로 고개를 돌리는데 세미가 커피를 입에 가져다 된다.)
감독님 혹시 개인적인 사심이라도?

감독 : (무언가를 들킨 듯 표정) 뭐?

스텝 : 아니 제말은... 이게 굉장히 중요한 촬영이라는 거죠, 참나

감독 : (들고 있는 종이를 들어올리며) 야 이 새끼가 장난하냐? 니가 감독할레? 내가 어떻게 이자리까지 온 줄 알아, 그건 너 같은 놈들보다 보는 눈썰미가 뛰어나서야! 임마. 꼬우면 니가 감독하던가?

스텝 : 앗, 죄송합니다 감독님 제가 오바를..

저만치서 이 모습을 바라보는 세미와 세 명 (음악을 켜놔서 무슨 일 인지 모른다.)

지원 : 대단해, 저렇게 열 올리며 논의 하는 거 보면 다들 프로긴 진짜 프로 인가봐. 오로지 세미만을 위해서~

보미 : 역시 세미 멋지다.

세미 : (팔을 계속 긁는다.)

아영 : (세미의 팔을 들어보는데 피부가 붉다.) 어머나 세미, 팔을 왜 이렇게 긁었어?

세미 : 그냥... 갑자기 가려워서요..

아영 : (팔에 분칠을 하며) 이러면 좀 가려 질려나? ...세미씨?

세미 : (세미 순간 살짝 졸다가 눈 번쩍) 아, 정말 감쪽같네요. 고마워요.

아영 : (왠지 모를 미소)

다시 이어지는 촬영, 경쾌한 비트

18. 스튜디오 출입문 앞 길가

촬영을 마치고 나온 세미를 감독이 집적 배웅 나왔다.

감독 : 세미씨는 정말인지 모델일 타고난 것 같아, 포즈 잡는 게 남다르단 말야!
감각적으로 잘 반응 해줘서 내가 생각하는 그 이상으로 잘 연출 된 거 같아.

세미 : 제가 그런가요?

감독 : 당연하지, 내 카메라 앞에 얼마나 많은 모델들이 스쳐갔겠어, 세미는 그중에서도
으뜸이야, 벌써부터 사람들의 반응이 기대가 되는 걸..

세미 : 감독님, 감사합니다.

감독 : 그럼 조심히 들어가고(세미의 어깨를 지긋이 잡는다.) 따로 다시 연락 할게
내 또 할 얘기가 있거든..

스텝 : (못마땅한 표정으로 세미의 어깨에 올려진 감독의 손을 힐끔 바라 본다.)

19. 길가

세미와 아영, 지원 보미가 손을 잡고 가볍게 흔들며 길 한 가운데로 의기양양 하게 걷는다.

세미 얼굴에 미소가 가득하다.

아영 : 세미씨, 축하해 그리고 우리 나이도 비슷한 거 같은데 이제부터 친구할까?
말도 놓고..

지원 : 난 무조건 찬성, 난 세미가 너무 좋아요! 좋아~ 좋아!

보미 : 그래 세미까지 우리 4총사 하자!

세미 : 그래도 될까요? 그러면 저야 좋죠!

아영 : 응 우리 셋은 이미 절친 이거든, 예전부터 니꺼 내꺼 할 것 없이 서로 가진 걸
나누는 그런 사이였어, 허물이 없어 사회에서 이런 친구들을 사회에서 만날
수 있다는 건 엄청난 행운이야.

세미 : 정말 멋진 사이네요! 힝... (감동에 북받쳐 울려고 한다)

아영 : 세미도 우리와 함께하면 분명 잘 어울릴거야, 니꺼 내꺼 없는 사이..

보미 : 난 세미 촬영하면 언제든 응원 갈려구.. ㅎㅎ

셋의 음침한 미소, 세미는 마냥 기쁜 표정이다.

끼익~ 소리와 함께 4명 앞으로 빨간 경차가 등장, 길을 가로막으며 세미 앞에 섰다.

운전석의 창문이 내려온다.

진수가 얼굴을 드러낸다.

진수 : 세미야~

세미 : (놀라며) 누구세요? 어떻게 제 이름을...

아영이 놀라지 않고 진수를 바라본다. 지원, 보미는 서로를 바라보며 쑤근댄다.

진수 : 나야, 나 모르겠어...?

세미 : (갸우뚱)

진수 : 정말 오빠 기억이 안나? 아...

세미 : (당황)

진수 : (차에서 내린다.) 세미야 너무 오랜만이라 기억이 않 나는가봐?
우리 어디 조용한데 가서 이야기 하자 (세미의 손을 덥석 잡더니 태우려 한다.)

이 모습을 본 지원과 보미가 가로 막는다

지원 : 아니, 세미가 모른다고 하잖아요? 그쪽은 누구신데 이러세요?

진수 : 아, 미치겠네.. 세미야 이 차도 기억 안나? 예전에 우리...

세미가 차를 찬찬히 돌아본다. 뒤쪽 유리에 씌여진 컴퓨터AS 글자를 바라보더니 눈동자가 커진다.

진수 : 그래 이제 알아보는구나, 나 진수 오빠잖아.. 너가 그때 머리를 다쳐서

세미 : (진수쪽으로 빠르게 고개를 돌린다.)

진수 : (미소)세미야! (다시 세미의 손을 잡으며 차에 태우려 한다.) 어서 차에 타

다시 가로 막는 지원과 보미

세미 : (진지한 표정, 지원과 보미사이를 비집는다) 아냐 나, 뭔가 알 것 같아

세미가 타자 사라지는 경차

어이없이 바라보는 아영, 지원, 보미

20. 어딘가, 멈춰진 진수의 차안

진수와 세미 단 둘이 있다.

진수 : 세미야, 이렇게 불쑥 찾아온 건 당황스럽겠지만 내가 할 말이 있어서

세미 : (진지)아저씨가 왜 찾아왔는지 알고 있어요.

진수 : 응...? 아저씨...?

세미 : 아... 아니, 어째서 이렇게 늦게 나타나신 거에요? 제가 컴터AS 접수한지가
언젠데 정말 너무한 거 아니에요. 저가형 노트북이라고 무시하는 건가요?
담부터는 구매를 안해야지

진수 : 뭐...?

세미 : 그잖아요. 벌써 한 달이 다 되가는 거 같은데 아저씨가 생각해도 좀 심하죠?

진수 : 세미야, 정말 내가 기억이 안나?

세미 : (시선을 멈추더니 빤히 바라본다)

진수 : 세미야...?

세미 : (진수를 가만히 주시한다) 그러고 보니 아저씨 뭔가 익숙한 거 같아요. 이 말투,
목소리, 아 답답해 이런 기분은 뭘까요...? 아, 맞다!

진수 : 그래 세미야 어렵겠지만 잘 생각해봐

세미 : 어... 혹시... AS접수 할때 저랑 통화하신 그분이죠? 맞죠? 맞네!
이봐요 아저씨 혼자서 접수받고 수리까지 다 하니까 AS가 이렇게 처리가
느리죠. 다음부터는 그러지 마세요!

진수 : (혼자말) 이거 완전히 맛이 갔네?!

세미 : ...뭐요?

진수 : (핸들에 머리를 박더니 갑자기 핸드폰에서 사진 하나를 세미에게 보인다. 과거의 고양이 인형이 찍혀있다.) 혹시 이건 기억나?

세미 : (놀란다) 세상에!

진수 : (세미의 표정을 살핀다.)

세미 : 이거 나한테도 있는 인형인데... 음흉한 표정의 고양이 인형

진수 : (침을 꿀꺽) 세미야 이거 아직도 너가 가지고 있는 거지?

세미 : 당연하죠! 그렇긴 한데...

진수 : 이 인형 나한테 주면 안 될까?

세미 : ...네?

진수 : 아, 그러니까 내말은 그냥 달라는 건 아니고, 그렇게 하면 노트북 수리비는 안 받을게!

세미 : 왜죠? (무언가 생각에 잠긴다.)

진수 : 그걸 론 부족해? 그럼 새 노트북으로 하나 구해다 줄까? 이런 싸구려 말고 완전 최신기종 삼성노트북 최고가로 아님 거시기 애플 맥북은 어때?

세미 : 정말...요? 대박!

진수 : 짱짱 돌아가는 걸로 얼마든지!

세미 : (다시 무언가 생각) 음... 근데 아저씨, 왠지 이유는 몰겠는데 이 인형 저한테 아주 소중한 물건인 것 같아요. 누군가한테 함부로 주거나 하면 안 돼는 반드시 꼭 가지고 있어야만 하는... 그냥 그래야만 하는 물건 같아요. 그래서 저만 아는 곳에 꼭꼭 숨겨 놓았어요.

진수 : 뭐? 숨겨놓았다고! (크게 놀람)

세미 : 사실 제가 과거의 어느 순간에 대한 기억상실증이 있거든요. 분명한건 저 음흉하게 생긴 인형이랑 무슨 관련이 있는 거 같아요...
그러니까 최신노트북은 제가 기억이 돌아오면 그때 생각해 볼께요

진수 : 안돼~! 그러지 말구

세미 : 뭐가요?

진수 : 그냥... 그냥 지금 어디 있는지 알려주면 안 될까? 제발, 프리즈, 헬프미~
(몸을 기울려 세미에게 접근한다.)

세미 : (두 팔로 밀어낸다) 아저씨 왜 이러시는 거죠. (목뒤를 벅벅 긁으며)
저 그냥 수리 안 맞길래요. (급히 차문을 열고 나가버린다.)

진수 : 아... 이거 인형을 어디다 숨겨 놨다는 거야, 이럴 줄 알았으면 나도 코인좀 오래
가지고 있을 걸 괜히 팔아먹어가지고..
(답답한지 자신의 머리를 비비다 세미의 뒷모습을 바라본다)

세미가 몸 이곳저곳을 벅벅 긁더니 비틀거린다.

세미 : 아 근데 왜 이렇게 졸리지...? (그 자리에 풀썩 쓰러진다.)

진수 : ! (놀라는 표정 차 밖으로 나가기 위해 문을 연다)

자동차 창문시점에서 진수가 세미를 흔들어 깨우는 것이 보인다.

21. 아영이네 뷰티샵

아영, 지원, 보미가 있다. 분위기가 심각하다.

지원 : 근데, 그 구닥다리 차 끌고 온 찌질한 녀석은 누굴까? 맘에 계속 걸려

보미 : 그러게..

지원 : 뭔가 기분이 씹스럽네..

보미 : 아무래도 세미의 어마어마한 코인을 노리고 접근한 녀석으로 보여, 똥파리가
자꾸 달라붙는 느낌이야

지원 : 안돼! 그건 아니되지, 세미는 우리친구데... 아영아 너 아까 그 사람 누군지 진짜
몰라? 너 이 동네 오래 살아서 왠만한 건 다 알잖아?

아영 : (진지한 표정) 음... 예들아 나 너희들한테 할 말이 있어, 실은...

보미, 지원 : 뭔데...   뭔데, 뭔데? (아영을 주시한다)

25. 병실

링거액이 한 방울씩 떨어진다.

세미가 병실에서 눈을 떴다. 환자복을 입고 있다.

세미 : 아, 머리야... 여기가 어디지? (몸을 일으켜 주위를 살펴보는데 옆 테이블에 꽃이 놓여있다. 처음에 진수에 받은 꽃과 똑같다.) 응?

세미 꽃을 가만히 바라본다. 향기를 맞아본다. (과거 기억이 어렴풋이 지나간다. 처음 차를 타고 나타난 진수의 얼굴이 스친다. 생각에 잠긴 표정)

의사가 다가왔다.

의사 : 쓰러진 세미씨를 진수씨가 업고 허겁지겁 여기까지 달려 온 거요.

세미 : 아... 그 컴퓨터 기사 아저씨? 정말로 고마운 분이시네요 (잠깐 생각 한다.) 그런데 그분은 지금어디 계세요? 인사도 못하고...

의사 : 급한 일이 있어서 먼저 갔고, 그보다 세미씨 몸에 뭔가 굉장히 특이한 문제가 있어요

세미 : 네!?

의사 : (뒤쪽에서 사람 한명이 지나간다) 여기서는 좀 그렇고 제 방에 가서 자세히 설명 드리겠소.

26. 의사 방(상담실)

세미의 팔에 붉은 반점들이 보인다.

의사 : (심각한 표정으로 다른 곳도 살펴본다) 언제부터 이렇게 된 거죠?

세미 : 글쎄요. 한 달 정도 됐을려나? 처음에는 서서히 가렵다가 갈수록 점점 심해 지는 것 같아요

의사 : 음... 이런 증상이라면....

세미 : 선생님, 심각한 건가요?

의사 : 혹시 최근 들어 잠을 많이 잤는데도 졸립고 그렇소?

세미 : 그걸 어떻게 아셨어요? 가만히 있다가도 갑자기 확 졸릴 때가 있어요

의사 : 세미씨, 몸은 지금 무엇인가에 오염되었소..

세미 : 오염이라뇨? 그럴리가요?

의사 : (자료를 보며) 세미씨가 누워있는 동안 피검사를 해보았는데 이것이 그 검사 결과요, 일반적인 사람들 하고 완전히 달라요. 그러니까 무언가 굉장한 변이가 일어날 조짐이 보이는데 말하자면... 아... 말하자면...(뜸을 들인다)

세미 : 뭔데요? 선생님 말씀해 주세요.

의사 : 음... 마지막으로 하나만 더 확인해 보겠소 (서랍을 연다.)

세미 : 전 어떻게 되는 건가요?

의사 : 그건, 내가 어떻게 치료하느냐에 따라 결과가 달라질 것 같아요(무언가 전자기기를 꺼내더니 세미의 팔 부스럼에 가져다 된다.)
기계에서 요란하게 삐, 삐 소리가 난다.

의사 : (심각한 표정)역시... 짐작했던 데로군. 믿을 수 없겠지만 세미양은 지금 매우 심각한 Radioactive contamination shock (레디오엑티브 컨테미네이션 쇼크) 상태요

세미 : 그게 무슨 말이에요? 쉽게 이야기 해주세요?

의사 : 혹시, 원자로 근처에 다가간 적이 있소?

세미 : 에이 그럴리가요.. 당연히 없죠..

의사 : 아님... 일본 여행을 간적은?

세미 : 어, 네... 하지만 그건 너무나도 오래전에 일이에요

의사 : 그때 무슨 일이 있었소?

세미 : 글쎄요 그때 일이 잘 기억이 안나요. 후쿠시마에 원전이 폭발 했다는것 말고는...

의사 : 헉! 그러면 원전 사고 때가 2011년이니까 대략 10년 정도 지났겠군..

세미 : 맞아요... 그러고 보니 딱 10년째에요.

의사 : (자료를 덮으며) 아... 역시나, 10년이면 딱 잠복기간이군 그래서 그동안은
아무 일도 없었던 게야

세미 : 네?

의사 : 세미씨는 지금 극도로 위험한 방사능에 오염된 상태요!

세미 : 마, 말도 안돼!

의사 : 방사능 오염의 잠복기간은 정확히 10년이에요. 이제부터 본격적으로 그 증상이
시작될 차례요.

세미 : (벌떡 일어난다.) 아니, 선생님 여기 이상한 병원 아니에요? 저 이런 동네병원
말고 다른 큰 병원 가야겠어요. 순 돌파리 갔군요! (팔딱팔딱 뛴다)

의사 : 뭐? 동네병원! (흥분하다가 급 아닌척한다.) 잠깐만요. 세미양, 섣부른 판단 말고
진정하고, 잠깐만 내말을 들어보시오

세미 : 말이 안 되잖아요. 그동안 아무 일도 없었는데... 전 진짜 믿을 수가 없다구요.

의사 : 그게 아니라, 큰 병원을 가게 되면 세미양은 바로 붙들려서 음침한 실험실에
격리수용 당하게 될 것이요. 타인에게 전염될 수도 있는 심각한 위험인물을
분명 가만히 놔둘 리가 없단 말이요!

세미 : 네? 전염이 된 다구요?

의사 : (자신의 모니터화면을 돌려 세미를 보게 한다. 머리가 두 개 달린 거북이,
기형 선인장 등 방사능에 오염된 동식물의 모습들이 있다. 끔찍하다.)
두 눈으로 이걸 똑똑히 보시오! 지금부터 관리하지 않으면 앞으로 며칠 후엔
세미양에게도 똑같은 현상이 일어 날것이오!

순간 세미의 상상 속에 머리가 두 개 달린 자신이 모습이 지나간다.

세미 : 헉, 안돼~!!

의사 : 내 비록 이런 작은 동네에서 보잘 것 없는 의원질을 하지만 방사능 오염증상에 대해서는 그 누구보다 전문가란 말이요! 여기 벽에 걸린 증명서들을 똑똑히 보시오! 예전부터 난 아무도 관심가지지 않았던 화학적 오염현상에 대해서 전문적으로 연구하여 그 치료에 대한 국제공인자격을 획득한 사람이요.

의사가 벽에 걸린 영어로 씌여진 인증서를 가르킨다.

세미 : (얼굴이 일그러지며 울어버린다.) 엄마~~ 나 어뜩해, 엉엉

의사 : (세미 옆으로 다가간다.) 일단 진정하시오. 그리고 걱정 말고 나를 믿어요. 내가 그 치료방법을 알고 있소. 내 반드시 치료해 주리다. 암, 자신 있소!

세미 : (의사의 한쪽 팔을 부둥켜 앉는다.) 엉, 엉~ 선생님 제발 도와주세요. 제가 어떻게 하면 되나요?

의사 : 한 달이라... 지금까지 괜찮았겠지만, 이제 곧 세미씨 몸으로부터 슬슬 오염된 방사능 균이 퍼져 나오게 될 것이요.

세미 : 으...윽 (괴로운 표정)

의사가 캐비넷에서 옷 한 벌을 꺼내온다.

의사 : 좀 불편하겠지만 사람들에게 피해를 주지 않으려면 이제부터 치료가 끝날 때까지 이 옷을 입고 다니도록 하시오! 내, 언젠가 이런 피해자들이 나올 것을 대비해 미리부터 특별히 준비한 것이요.
아... 나의 첫 번째 발명품을 세미씨가 입게 될 줄이야. 과연 역사적인 순간이요!

세미 : (옷을 받아들고 물끄러미 바라본다. 옷 위로 눈물이 한 방울이 뚝 떨어진다.)

27. 동네 카페

동식 : 형, 정말 그래서 날 여기에 취직을 시킨 거야?

동수 : 그래, 그러니까 앞으로 너도 행동을 잘 하라구!

동식 : 하지만 이건 세미씨에게 너무하잖아, 분명 잘못된거야..

동수 : (버럭)아니! 이이, 백수같은 녀석이, 아직도 정신을 못 차렸나? 이게 다 우리 앞날의 귀족같은 삶을 위해서 그런 걸 모르겠어? 우린 그저 "X"가 시키는 대로만 잘 따르면 되는 거야..

문제가 일어나면 모르는 척 하면 되는 거구, 어때? 간단하잖아. 그러니까 딴생각은 하지도 말고 괜히 세미한테 사심두지 말라고!

동식 : 이건 그런 문제가 아니잖아, 이건 나쁜 일 이라고! 형! (분노)

그때 문이 열리는 소리와 함께 방사능 복을 입은 세미가 카페로 들어온다.

동식 : (놀라며 세미를 바라본다.) 이 방사능복, 헉, 진짜네...

동수 : 쉿! 행동이나 잘해.

세미 : 곤니찌와;;; (힘없는 목소리)

동식 : 아... 안녕하세요 (이래저래 훑터보다가 수경가까이 눈을 데고 바라본다) 눈이 이쁜 걸 보니 틀림없이 세미씨 군요!

세미 : 제가 문제가 좀 있어서요. 당분간 이렇게 다녀야 해요

동식 : (흐느껴 울려고 한다) 아, 가여운 세미씨...

세미 : 의사 선생님이 당분간만 이렇게 참으랬어요. 저 시원한 커피한잔 주세요!

동식 : 세미씨, 정말 괜찮은 거에요? 너무 불편하고 답답해 보여요

세미 : 저도 그럴 줄 알았는데 생각보다 안 그래요. 무언가 신박한 최첨단 소재로 만들어진 기능성 재질 같아요 (한쪽 팔을 들어 이래저래 살펴본다.)

동수 : 여기 시원한 커피 나왔습니다. 드시면 한결 나을거에요

세미 : 네, 감사해요.

세미 커피를 들고 창가 자리에 앉더니 입 쪽의 지퍼를 열어 빨대를 문다.

동수가 그 모습을 의미심장하게 바라본다.

동식의 못 마땅해 하는 표정

28. 아영이네 뷰티샵

방사능 복이 입혀진 세미의 손가락위에 네일아트를 하고 있는 아영

아영 : 당분간은 네일아트도 이렇게 하는 수 밖에 없겠네

세미 : 그래도 생각보다 잘 어울리는 것 같네

지원, 보미 : 그러게 (세미를 계속 주시한다)

지원 : 역시 세미는 뭘 해도 이뻐이뻐~

세미 : 고개를 드는데 파티션에 클립에 고정된 바닷가 사진이 보인다.

아영 : 여기 근사해보이지? 우리 함께 저런 곳에 함께 놀러갔음 좋겠다.

지원 : (세미의 옷을 만지며) 세미는 바로 잠수해도 괜찮겠네.. 이런 옷이라면..

세미 : 아... 저곳에 갈수 있음 정말 좋겠네.. 지금 이런 상태론...

아영, 지원, 보미 : 가자 가자!

세미 : 그런데 아직은 안돼, 의사 선생님이 이 동네 밖으로 절대로 나가지 말라고
하셨거든. 갑자기 문제가 생기면 자기가 달려와서 저를 응급처치 해야 한다고...
정말 고마운 분이에요.

아영 : 하긴, 의사 선생님 말 잘 듣는 게 좋겠지...!

세미 : 치료가 다 끝나면 그땐 꼭 함께 가자 (모두의 시선이 사진으로 향한다.)

바다가 사진이 주목된다.

29. 빵집 앞

방사능복의 세미가 커다란 빵 봉지 들고 나온다

세미 : 고맙습니다. 항상 이렇게 챙겨주시고

주인 : 고맙긴, 몸이 안 좋을 땐 잘 챙겨 먹어야해 언제든 더 필요하면 말해. 배달도
되니 전화해도 되고, 24시간, 야밤에도 괜찮아.

세미 : 네, 아리가또~

30. 세미의 집

통화를 하는 세미

세미 : 네 감독님, 아직도 노트북 수리를 못 맡겨서 당장은 메일확인이 어려워요
(손으로 노트북 전원 버튼을 몇 번 누르는데 켜지질 않는다.)
그러게요. 저도 빨리 촬영사진이 보고 싶어요. 엄청 궁금하거든요.

노트북 덮개를 덮는다.

세미 : 아~ (한숨)

세미가 침대에 비스듬히 누워있다. 방사능 복은 그대로입고 있고 수경만 위로 올렸다.

눈을 깜박거리며 한참 생각에 잠긴다. 창가에는 병원에서 가져온 꽃다발이 병에 꽂혀 있다.

진수의 얼굴이 계속해서 지나간다. 세미의 마음이 무언가 어수선하다.

세미 : 아... 도대체 누굴까? 왜 자꾸 마음이 가는 거지? 가슴도 두근거리고, 내가
미쳤나봐

고양이 인형, 방사능 폭발 장면 등 일본에서 기억이 지나간다. 의사의 얼굴도 지나간다.

무언가 몽롱한 상태, 느낌

세미 : 아... 아무리 기억하려 해도 이것밖에 떠오르질 않아

띠띠~ 휴대폰에서 알람이 울린다.

세미 : (벌떡 몸을 일으킨다)아! 벌써 약 먹을 시간이 다됐네 (병원이름이 적힌 약봉투를
집어 든다.)

알약과 물을 마시는 세미의 목젖이 움직이는 게 보인다.

31. 밤하늘의 달 (검은 구름이 지나간다.) : 카메라가 내려오면 동네의 야경, 점점 어두워진다.

32. 어두운 어느 공간

긴 회의 테이블에 양쪽으로 모두가 모여 있다.

(동식, 동수, 아영, 지원, 보미, 빵집사장과, 와이프, 감독, 스텝, 의사, 변호사외 1명)

아영 양 옆으로 지원과 보미가 팔짱을 끼고 앉아있다.

지원 : 아영아, 너가 얘기대로 이 일만 성공하면 우리도 한 수십억은 챙길 수 있겠지?

아영 : 그렇다니까..

보미 : 지지배, 역시 의리가 으리으리하네~ 우리까지 구원하소사. 이런 일에 가담시키고

아영 : 벌써 들뜰꺼 없어, 완전히 끝난 거 아니니까 우린 "X"의 지시를 신중히 잘 이행 해야해~

반대쪽에는 동수와 동식도 앉아있다.

동수 : 여기 사람들 많이 모인거 보이지, 전부 한 뜻으로 뭉친 거야, 다시 말해서 이번계획은 성공할 수 밖에 없다구

동식 : (사람들을 살펴본다. 표정이 걱정스럽다) 아...

동수 : (맞은편 사람과 눈이 마주치자 손을 올리며 미소)

조용히 수근 거리는 사람들, 발자국 소리

사람들 : "X" 오신다, "X"

한 남자가 테이블 가운데 등장한다. 포스가 느껴진다. 조명아래 서서히 얼굴을 드러내는데 진수 이다.

진수 : (여유로운 목소리) 이번에도 전원 참석 하셨군요. 좋습니다.(느린 박수)

사람들이 진수를 주시한다.

진수 : 이제 세미는 우리를 완전히 신뢰하는 친구가 되었습니다. 또한 처음 의도데로 방사능복도 입게 되었습니다. 의사로 부터 보호와 치료를 받는다는 이유로 이 동네를 떠날 수 없게 한 것입니다. 이제 세미는 항상 우리 곁에 있습니다. 지금까지의 성공적 진행은 모두 여러분의 진정성 있는 노력이 낳은 결과입니다. 앞으로도 저의 계획에 잘 협조만 해 주신다면 섭섭지 않은 엄청난 보상이 돌아갈 것을 약속드립니다.

모두들 기대에 찬 표정

동수 : 동식아 봤지? 엄청난 보상이라잖아~ 으흐흐~

지원과 보미도 기대에 들떠있다.

지원, 보미 : 뭐야~ 저 사람 저번에 그 빨간 경차 컴퓨터 수리공 아냐? 반전인데.

아영 : 맞아!

진수 : 세미는 지금까지 제가 선물한 이 마카롱을 비롯해 여러분이 선심 쓰듯 공짜로 나눠준 커피와, 빵, 사탕, 그리고 의사의 처방전 속에 숨겨둔 약품의 반응으로 피부에 트러블이 나기 시작하면서 몸에 이상변화가 생겨나고 있습니다.
(#의사 얼굴이 잠깐 지나감) 이러한 현상이 지속된다면 심신이 미약해 질것이며 저는 이러한 기회에 세미의 마음을 사로잡기 위해 다가갈 것입니다. 그러게 되면 분명 옛 애인이었던 저에게 의지하며 코인을 인출할 수 있는 암호를 실토하게 될 것입니다.

동수 : (만족하며 고개를 끄덕끄덕) (옆 동식의 불안한 표정)

진수 : 그러니 여러분들은 세미가 눈치 채지 못하게 약을 먹이는 일을 계속해서 지속적으로 멈추지 말고 진행 해야만 합니다. (강조)

감독 : (미심쩍은 표정) 그런데 거 정말 가능한 일인가요? 과거를 기억 못한다면 분명 애인과의 기억도 없을 텐데...

진수 : 김 감독님, 그건 저번에도 말씀 드렸다시피

그때 의사가 자리에서 일어나 발언을 한다.

의사 : 제가 다시 한번 설명 드리도록 하겠습니다. 저는 정신과 전문의로써 제가 여러분들께 나눠드려 세미씨가 먹게한 약물 -Truth Serum은 향 정신과적 효능을 지닌 의약품입니다. 극소량씩 수 개월간 장기투여 할 경우 심신이 미약해 지며, 이때 자신이 가장 믿을 수 있다고 생각하는 상대에게 모든 것을 자백하는 효과를 지니고 있습니다.
실제로 세계 2차 대전당시 독일에서 적국 포로들에게 중요한 정보를 얻어내기 위해 장기간 투여를 시키고 그 기간 동안 아군에게 일부러 의지하게 만든 다음 자백을 받아내는 용도로 사용한 실 사례가 있습니다.
이는 결정적으로 ○○군이 전쟁에서 승리하게 되는 계기가 되었습니다.

감독 : 음... (고개를 끄덕인다)

진수 : 지금의 일이 있기 전 과거, 저희는 정말 사랑하는 애틋한 연인사이 였습니다.
세미가 무엇을 좋아하는지, 어디에 감동 받는지, 어디에 슬퍼하는지 저는 그 누구보다 잘 알고 있습니다. 이번에도 오랜만에 세미를 보았을 때 저는 분명히 느낄 수 있었습니다. 기억을 찾지 못해 아직 아무것도 모르지만 저를 바라보는 그 눈빛에서 그녀의 마음이 꿈틀거리기 시작했다는 사실을요!
이제 곧, 세미는 저를 의지대상으로 여기며 모든 것을 실토할 것입니다.

보미 : 아~ 정말 아름다운 로맨스일세, 오로지 사랑만이 그녀의 잠자고 있던 기억을 깨울 수가 있다니...

진수 : 여기에 희망적인 소식 하나가 더 있는데 그것은 바로 세미가 병원에서 깨어나는 순간 저를 생명의 은인으로 알고 감사하고 있다는 것입니다.
이는 저에게 의지하기 시작했다는 것입니다.

감독 : 그렇다면야, 잘 부탁드립니다.

빵집사장 : (불만인 표정으로 손을든다.) 근데 이거 언제까지 더 해야 하는거요? 한달도 더 넘은 것 같은데, 이런 일은 길어지면 무언가 꼬리가 발피는 법이요. 난 이번일 끝나면 빨리 이 동네를 뜨고 싶은데, 더 이상 빵굽는 일은 지겨워서 못해 못해! 어디 해외나 나가 버리게, 이걸 그냥 협박을 하던지 해서 단번에 알아내든지 해야지, 원..

변호사 : 그건 위험하고도 섣부른 판단이요!

사람들이 변호사 쪽으로 일제히 고개를 돌린다.

변호사 : 안녕하세요. 인사가 늦었습니다. 저는 X님의 요청으로 이번 프로젝트를 함께 기획한 킴&짱 법률사무소의 김지식 변호사입니다. 협박이나 강압을 하게 될 경우 여기 있는 모든 분들은 공범으로 형사입건 될 수 있습니다.
저도 모든 상황을 다 고려해 봤지만 지금 하는 방식으로 서서히 마음을 움직이는 것이 가장 확실하고 좋은 방법입니다. 나중에 문제가 생겼을 때 여기 있는 사람들이 빠져나가기 위해서라도 말입니다.
저는 변호사로써 이번 프로젝트에 여러분들의 위험성을 줄이기 위해 최선을 다할 것입니다.

동수 : 아, 역시 “X”님은 대단해, 대한민국 최고의 법률사무소 킴앤짱이라니... 치밀하다 치밀해

사람들이 모두 고개를 끄덕인다.

진수 옆 화면에 그래프가 뜬다. 포인터로 화면을 가르키는 진수

진수 : 2011년은 제가 일본에서 나카모토 상에게 코인을 직거래로 구입한 해입니다.
지금이야 거래소 사이트를 통해서 손쉽게 코인구매가 가능하지만, 당시에는 눈앞에서 USB에 코드를 담아 직거래 하는 것이 가장 안전하고 확실한 방법이었습니다.
이 그래프를 보십시오 그로부터 5년이 지난 2016년부터 코인 값은 10배 이상으로 눈에 띄게 본격적인 상승을 시작하더니 계속해서 천정부지로 그 값어치가 높아지고 있습니다. 정확하게 오늘날짜 지금시각 (#손목시계를 보더니) 새벽 00:44분 기준으로 당시시세의 16347배가 상승한 것이죠.

놀라는 사람들의 눈빛, 웅성웅성 거린다.

진수 : 이 말은 즉 슨, 여러분들 개인에게 제가 약속한 2%씩만 보답한다고 해도 한 사람당 최소 30억은 넘는 다는 것입니다. 30억! 어디 평생에 한번 만져 볼까 말까 하는 거대한 금액 아니겠습니까? (시대적 고증으로 실제수치)
여러분 지금까지 아주 잘 해오셨습니다. 이제 본격적으로 다음 단계의 계획을 실행하려 합니다. 마지막 까지 모두 힘을 모아 주십시오.
보상은 제가 확실하게 약속드립니다!

사람들 자리에서 일어나 일제히 진수를 환호하며 박수를 친다.

사람들 : 와~ 와, 엑스! 엑스!

흥분하는 사람들 사이에서 스텝이 감독의 귀에다 손을 대고 말한다

스텝 : 아... 감독님 저까지 이런 의미 있는 계획에 가담시켜 주셔서 감사합니다.
그동안 큰 뜻도 모르고 오해를 한 것 같군요. 죄송합니다

감독 : 너도 내 밑에서 일한지 벌써 10년인데 이제 좀 빛을 봐야지. 내가 X한테 특별히 부탁한 거야, 세미에게는 티 나지 않도록 잘 행동해

스텝 : 네 네, 감독님 존경합니다. 따르겠습니다.

사람들 : 와~ 와, 엑스! 엑스! (계속해서 이어지는 환호)

34. 다음날 낮 (마을 전경)

35. 의사 방(상담실)

의사 : (근심스러운 표정) 그런데 도대체 어쩔 셈이요...?

진수 : 뭐가? 지금까지 계획대로 잘 되고 있는데

의사 : 세미가 계속해서 먹고 있는 이 약 말이요. 계속해서 장기간 복용하게 될 경우 결국에는 목숨을 잃게 될 것인데... 지금까지 가만 했을때 이제 시간이 얼마 남지 않았소. 자신들은 모르겠지만 동네 사람들 모두가 세미를 서서히 죽이고 있는 거잖소! 아...(심각)

진수 : (비웃음, 섬짓) 쳇, 난 또... 선생님 그거라면 걱정 마십시오. 그 전에 틀림없이 세미의 마음을 움직일 수 있으니까요!

의사 : 반드시 그렇게 하길 바라오, 아니 그렇게 해야만 하오 내 거듭 당부하는데 세미에게 암호를 알아내자마자 곧바로 복용을 중단시켜야 하요.
명심하시오! 난 돈이 급한 거지 살인자가 까지 되기는 싫소 (불안, 초조)

진수 : 아니, 이깟 일로 뭐 벌써부터 호들갑입니까?!
큰 일 하다보며 그럴 수도 있는 거지. 언제는 도박 사이트에 미쳐 병원까지 잡혀 놓고 감당 안 되니까 나한테 꼭 함께하고 싶다고 사정사정 했던 거 기억 안납니까? 참내... 마누라에 자식까지 있는 사람이..

의사 : 하, 하지만...

진수 : 아 놔 선생님께선 이런 중책을 맞으셨으니 제가 특별히 남들 3배로 보상을 약속한 거 아니겠습니까? 의대 나와서 머리 좋으시니까 계산 해봐요 3배면 무려 100억 가까운 금액이요. 100억!

의사 : 아... 하하, 그건 그렇지 (미소로 바뀐다. 입맛을 다신다.)

진수 : 거 잔소리 말고 행동 똑바로!

36. 진수의 차안

진수가 세미의 노트북을 손보고 있다. (능숙한 손놀림)

화면이 정상으로 돌아왔다.

진수 : 생각보다 간단한 고장 이였네

세미(방사능복장) : 아저씨, 정말 대단해요. 전 아무리 해도 안 되던데

진수 : 모르는 사람한테는 답답하겠지만 나한테는 뭐 이 정도는 식은 죽 먹기지!

세미 : 정말 고마워요. 저기 죄송한데, 여기서 바로 메일 좀 확인해 봐도 될까요? 너무 궁금한 게 있어서요

진수 : 얼마든지!

세미가 메일에 접속해 압축파일을 다운받아 열어보니 촬영한 컷들이 나온다.

노트북 화면 시점 (둘의 뒤통수가 보인다.)

진수 : 정말 멋지다. 특히 이 포즈는 표정이 예술이네

세미 : (웃음소리) 촬영할땐 꽤 힘들었는데 이렇게 보니 너무 좋네요

진수 : 모델 황미나도 울고 가겠네...

세미 : 에이, 설마요

진수 : 진심이야

세미 : 정말요?

진수 : 내 평생 이렇게 매력적인 모델은 처음 봐

세미 : 과분한 말이에요 아직 더 열심히 해야 해요, 배울 것도 많고 (웃음)

진수 : 아니, 그동안 엄청 답답했겠네. 메일을 못 열어 봐서 어케 참았어?

세미 : 그러게요. 어서 빨리 몸도 회복 했음 좋겠어요, 더 멋지고 큰일들도 해내고 싶어요

진수 : 분명 그렇게 될 꺼야, 세미는 이런거에 타고 났으니까, 이런 소리 많이 듣지?

세미 : 그걸 어떻게 알아요?

진수 : 어... 그건 안다기 보다 그냥 느껴진다거나 할까... 이런 기계 같은 건 조금 서툴긴 하지만 그건 내가 곁에서 항상 도와주면 될 것 같아

세미 : (진수의 얼굴을 바라보며) 네?

진수 : 그냥 네가 도와주고 싶어, 그래야 할 것 같아. 그러면 내 마음도 편하고 세미도 든든하고..

세미 : 아저씬, 참 신기해요

진수 : 응?

세미 : 저를 너무 잘 아는 것 같아서요. 그리고 잘 모르는 사람이 이런 예기하면 보통은 제가 불편해 하는데 아저씨는 안 그런거 같아요. 마치 원래부터 알고 있는 사람처럼요.

진수 : 원래 그런 사람이 있다네..

세미 : 정말요?

진수 : 살면서 좀처럼 만나긴 어렵지만 운이 좋으면 그래도 만날 수 있는거레

세미 : 하하, 그러면 전 운이 좋은 건가요?

진수와 세미 몸을 틀어 서로를 주시한다. (살짝 야릇~)

진수 : 그것보다, 내가 더 운이 좋은 사람 같아.

차바퀴가 서서히 돌아가는 모습 (차가 앞으로 나아간다.)

진수 목소리 : 이런 복장으로 집까지 가려면 힘들겠다. 태워다 줄게~

차가 유유히 달리는 모습

37. 스튜디오

감독이 카메라를 들고 있는 정면 모습

후래쉬 조명 번쩍 번쩍

방사능 복을 입은 세미가 포즈를 취하며 사진을 찍고 있다.

찰칵, 찰칵, 번쩍, 번쩍

옆으로 아영, 보미, 지원이 보인다.

감독 : 야~ 기가 막힌다. 기가 막혀! 굿뜨, 이 방호복 스타일 컨셉이 너~~무 좋아. 아마 최근까지 고루했던 패션계를 일깨우는 대박사건을 일으킬 것만 같은 조짐이야! 퍼펙트, 퍼펙트

스텝 : 그러게요. 지금까지 듣도 보도 못햇던 완전히 새로운 룩이에요. 감독님의 거침없는 시도 존경합니다.

아영, 지원, 보미 : 세미 파이팅~! 파이팅~!

감독 : (세미의 가슴 위 가운데 방사능 마크 스티커를 정성스레 붙인다) 굿뜨~!
이러면 뭔가 느낌이 좀 더 살아 날 것 같아. 데인져러스 하면서도 베리 큐트한~

아영이 세미의 입 지퍼를 열어 빨대의 커피를 마시게 한다. (커피는 세미 것 뿐이다.)

아영 : 어때, 시원하지?

세미 : (끄덕 끄덕) 아, 살 거 같아

감독 : (스텝을 보며) 나는 캔 콜라로 하나 부탁해!
세미씨 이번 사진들은 얼마 후 뉴욕에서 주최하는 [패션엣 센세이션] 콘테스트에 출품할거야, 예전부터 지구의 환경문제를 컨셉으로 생각하고 있었는데 뜻밖에도 세미씨가 나에게 영감을 준거지!

세미 : 정말요?

스텝 : 감독님, [패션엣 센세이션]요~ 와! 거기서 입선만 이라도 하게 된다면 이제부터는 전 세계가 세미씨를 주목하게 되겠어요.

감독 : 그렇지, 세미는 자격이 충분해!

아영, 지원, 보미 : 대박~ 우리도 이 순간에 세미와 기념사진 남기고 싶어요

감독 : (캔 콜라를 마시며) 그건 마지막에 내가 서비스 하지

세미 : (입에 물린 커피가 빠르게 줄어든다.)

찰칵 찰칵, 촬영이 계속된다.

방호복위에 다양한 옷도 걸치고 있고, 소품(녹색 잎 화분)도 들고 있다.

다양한 포즈가 계속된다. 누워서 팔을 개기도 하다.

아영, 지원, 보미 사이에서 세미와 함께 사진을 찍는다.

음악소리

38. 해변가

하늘위로 갈매기가 날아간다. 태양이 눈부시다.

바위틈으로 꽃게 한 마리가 지나간다. 파도가 친다.

아영이 샾에 있던 사진과 비슷한 풍경의 해변가

왼쪽부터 아영, 지원, 보미는 비키니를 입고, 세미는 방호복 차림으로 비춰의자에 누워있다.

아영 : 간만에 가게 문 닫고 이런데 오니까 좋네.
(상체를 들어 세미쪽을 바라보며) 선생님도 미녀들과 함께 이런 델 오니까 좋죠?

맨 오른쪽의 세미옆에 의사가 구급약통을 들고 앉아 있다.

의사 : 참 대단해, 대단해 동네 밖으로 나가지 말레니까 기연치 나를 데리고 나오다니...

지원, 보미 : 우리 세미는 소중하니까!

지원 : 근데 선생님 보톡스도 시술하나요?

의사 : 뭐 이것저것 다하지, 예전엔 안했는데 요즘 동네의원들은 보톡스, 필러, 점
빼는거, 피부광 내는거 그런거 까지 전부 안하면 먹고 사는게 만만치 않소.

지원 : 그럼 저도 여기... (자신의 코를 가르키며)

의사 : 지금도 충분히 괜찮아 보이고만..

지원 : 아니에요 전 쫌 더 높아야 해요. 요즘 TV나오는 연예인들 봐요.
저 이쁘게 놔 주셔야 해요~ (애교) 나 이번기회에 선생님이랑 친해져서 여기저기
시술 좀 받아야 겠어요. 잘 부탁해요

보미 : (자신의 가슴을 들었다 놨다 하며) 근데 가슴 수술은 안하겠죠?

의사 : (한심하다는 듯) 에휴...

세미, 아영, 지원, 보미가 즐거워하며, 파도를 맞으며 놀고 있다.

의사는 이 모습을 지켜만 보고 있다.

의사 : (전화를 받으며 인상이 안좋다.) 조금만 시간을 더 주시면 안될까요. 제가 계획한 일이 하나 있는데 돈이 좀 될 것 같아서요... 다음 달까진 모두 상환하겠습니다. 그러니 병원만은... 제발, 아... 네, 네 알겠습니다. (전화를 끊고 한숨..)

의사의 시선에 유난히 세미의 모습이 더 보인다.

비치볼이 의사 앞으로 굴러온다.

지원 : 선생님, 선생님도 여기 와서 함께 놀아요!

의사 : (머뭇거린다.) 난 그럴 기분이 아냐~

지원 : 그러지 말고 일로 오세요. 얼마나 재미있는데..

의사가 오지 않자 지원과 보미가 의사 곁으로 가서 몸을 일으켜 세운다.

못 이겨서 물가까지 간다. 가자마자 바로 넘어져 온몸이 물에 젖는다.

의사 : 거봐 내가 이런 거 싫다고 했잖아!

세미가 의사에게 손을 내민다.

의사 : (손을 내민다.) 헤헤

지원과 보미 야영이 번갈아 가며 비춰 볼을 의사의 얼굴에 맞춘다.

지원, 보미, 아영 : 하하하, 선생님 보기보다 귀여우시다.

모두 즐겁다. 수평선이 보인다.

39. 진수의 차안

노트북 화면이 펼쳐져 있고 세미의 사진이 보인다.

진수 : 내가 포토샵으로 보정을 좀 했는데 무언가 달라 보이지 않아?

세미 : 그러게요? 피부톤도 화사하고 좀더... 이뻐 보인다.

진수 : 이렇게 해서 포트폴리오로 활용하면, 분명 더 많은 기회들이 찾아 올 거야

세미 : 신기해요. 아저씬 정말 못하는 게 없는 거 같아요

진수 : 세미 병이 빨리 나았으면 좋겠어, 그래서 더 이쁜 사진도 많이많이 찍고~

세미 : 고마워요. 힝... (울먹인다.)

진수 : 세미를 바라본다.

세미 : 꺼이꺼이(소리 내어 운다) 저 왜 이렇게 격하게 감성적인 거죠. 무언가 아저씨가 절 걱정해주는 마음에 진심이 느껴져요. 한없이 고맙고, (울먹울먹)

세미의 수경이 뿌옇게 변했다 아래로 눈물이 흘러내린다.

진수 : 수경 좀 벗어봐

세미 : 그치만... 그러다가 아저씨까지 전염돼요

진수 : 아니야, 괜찮아~

세미 : 네?

진수 : 나 사실 세미 만나기 전에 병원 갔다 왔거든 세미가 먹는 약하고 똑같은거 처방 받아서 약을 먹는 동안은 전염되질 않아

세미 : 그런 게 가능해요?

진수 : 세미만 답답한 게 안타까워 보였거든..

세미 : 아... 저를 위해서 그렇게 까지

진수 : (세미의 수경을 천천히 벗긴다. 세미의 눈이 드러난다.)

깜박이는 세미의 눈

진수 : 이렇게 이쁜 눈을 가리고 있었네 (얼굴을 감싼 방호복을 벗긴다.)

세미의 얼굴이 드러나고, 여기저기 작은 두드러기가 보인다.

진수 : (티슈를 꺼내더니 얼굴의 땀을 닦아 준다. 그러다가 세미와 시선을 마주한다.)

세미 : (진수와 시선을 마주한다.)

둘은 키스한다.

40. 어느 어두운 공간

성스러운 분위기의 음악

가운데 방사능 복의 세미가 앉아 있고 양옆으로 동네 사람 모두가 앉아있다.

(참고그림 : 같은 구도로)

테이블 위에 음식이 놓여있고 분위기가 화기애애하다.

세미 : 모두들 정말, 정말 감사드려요, 저를 위해 이런 파티를 다 열어주시고

진수 : (세미옆의 어깨를 감싸며) 우리 모두는 세미를 좋아하니까

동수 : 세미만을 위한 파티라~ 분위기가 너무 좋네..

지원 : (빵맛에 감탄하며) 아영아 이 빵 생긴 것도 이쁜데 맛은 더 끝내줘 한번 먹어봐 (아영의 입에 넣어줌)

아영 : 오, 사장님 대박이요! 근데 이런 빵은 매장에서는 못 본 것 같은데...

빵집사장 : 이렇게 만들면 손이 많이가~ 재료도 비싸서 남는 것도 없어, 오늘만을 위한 특별한 빵이야, 이제 지겨운 빵집도 졸업이다.

보미 : (빵을 먹으며 감탄) 그러지 말고 사장님, 이 빵 비싸더라도 어떻게 잘 해봐요. 이걸로 대박 날 수 있겠구만..

빵집사장 : 쳇.
감독 : (스텝을 보며) 분위기를 보아하니 드디어 일이 거의 마무리 되어 가는 거 같군

스텝 : (미소)

변호사 : (패드에 무엇인가를 기록하는 중) 금요일 오후 4시 모인사람 나까지 합쳐서 13명

의사 : (진수의 귀에다 되고) 이제 슬슬 시작 하는 게 어때?

진수 : 여러분! 바쁘신 와중에도 이렇게 모여 주셔셔 너무나 감사합니다.
오늘은 여러분들이 모두 축하해줄 좋은 소식이 있어서 이러한 파티를 마련하게 되었습니다. 사실 제 입으로 말하기 좀 부끄럽기도 한데... 음, 음

사람들 : 뭔데?... 뭐야! (기대하는 표정)

진수 : 그것은... 우리 동네의 홍일점 세미와 제가 진지한 만남을 갖기로 했습니다.

사람들 : 오~ 대박, 와 축하, 축하

빵집사장 : (의사를 보며) 대단한걸, 기연치 해내다니!

진수 : 사실 세미와 저는 그동안 잦은 만남을 가졌고 그 시간 동안 서로의 마음을 확인하게 되었습니다. 저는 이러한 사실을 여러분께 이야기하고 세미를 위해 더...

그때 진수의 말을 끊으며 동식이 등장한다. #음악 OFF

동식 : (큰 소리로) 안돼~!! 이건 아냐!!

사람들 동식에게 시선집중, 세미와 진수도 당황한다.

동식 : 다들 미친 거 아냐, 해도 해도 욕심이 너무 지나치잖아!

동수 : (일어서서 동식을 말린다) 너 뭐하는 짓이냐냐? 분위기 다깨고! 아이고 여러분 죄송합니다. 제 사촌동생이 실성을..

동식 : (동수의 손을 뿌리치며 세미 앞으로 달려가 손을 잡아당긴다.) 세미씨 여기 있지 말고 나와요!

세미 : 네?

동식 :얼른요! (세미의 손을 더 강하게 당기는데 방호복 장갑이 벗겨진다. 동식은 장갑을 던져버리고 세미의 맨손을 다시 잡는다.)

세미 : 헉, 동식씨 그러면 위험해요!

동식 : (아랑곳 하지 않고 두손으로 잡아당긴다.) 세미씨, 위험한 것 제가 아니고 세미씨에요, 정말 모르겠어요? 이 사람들이 이유 없이 왜 이리 친절한지? 이건다 세미씨가 가진 코...코

동수가 뒤에서 동식을 감싸며 입을 막아버린다.

동수 : 음, 음~

사람들 일제히 모여 동수를 제압한다. 밖으로 질질 끌려나간다.

동수 : (끌려나가며) 세미씨~!! 세미씨~!!

동수가 나가자마자 진수가 일어난다.

진수 : (당황한다) 어, 어 아무래도 저와 세미씨의 관계를 질투한 나머지 이런 난동을 일으킨것 같습니다. 세미씨가 이쁜것은 사실이니까요! 여러분 저와 세미는 여러분들이 모두 보는 이 앞에서 기대에 저버리지 않게, 어...어 모두의 이익이 되도록 최선을 다해 사랑하겠습니다. 여러분 모두 축하해 주십히오!

짝, 짝, 의사가 먼저 박수를 치기 시작한다. 변호사가 이어 치더니 사람들 모두 박수와 환호를 보낸다.

의사 : 세미씨도 한마디 하세요!

모두 세미에게 시선집중

세미 : 여러분 저는 지금 인생에서 가장 행복한 순간을 보내고 있어요. 그 어떤 순간도 이보다 더 꿈만 같을 수 있을까요? 저를 아껴주는 친구들도 여기에 함께 있습니다. (# 아영, 지원, 보미의 모습) 저의 꿈에 격려와 지지를 다하는 고마운 분들도 여기에 함께 있습니다. (# 감독과 스텝의 모습) 그리고 무엇보다 늘 제편이 되어줄 고마운 인연도 이 자리에 함께 있습니다. (# 진수의 모습) 비록 제가 지금은 이런 옷을 입고 있을 수밖에 없지만 이 역시도 모두가 저를 사랑해주셨기에 관심으로 보호 받고 있다고 생각해요.(# 의사와 동네사람들 모습) 몸은 조금 답답해도 얼마든지 참을 수 있어요. 곳 나을 거니까요 하지만 반대로 저의 마음은 정말인지 세상을 다 얻은 듯합니다.

여러 분 한분 한분 모두 저에게 소중한 사람들입니다. (고개 숙여 인사)

사람들 : 세미! 세미! 세미!

진수가 세미를 바라보더니 한 발짝 다가간다.

다시 음악 ON

사람들 : 와! 와!

폭죽이 터지며, 색색의 종이가 날린다.

음악 볼륨 UP

41. 고속도로를 달리는 진수의 차

드론으로 항공 촬영, 또는 높은 곳에서 촬영

42. 진수의 차안

뒷자리의 컴퓨터 부품들이 흔들거린다

뒤에서 보는 시점의 진수와 세미

세미 : (커피를 빨대로 마시며) 오빠? 근데 고양이 인형은 왜 그리 찾는거야?

진수 : 거긴 행운이 간직되어 있으니까

세미 : 행운...? 어떤 행운

진수 : 차차 알게 될 꺼야, 세미야 근데 틀림없이 고향집 장롱안에 잘 있는 거지?

세미 : 당연하지, 장롱 2번째 서랍 깊숙한 곳에 있어, 절대로 잃어버리지 않게

진수 : 그래, 잘했어 (미소)

세미 : 오랜만에 엄마 보러 가니까 좋다. (콧노래)

진수 : 의사가 준 약은 잘 먹고 있는 거지?

세미 : 그럼 내가 얼마나 신경 쓰는데 (세미가 커피를 다 마셨다)

진수 : (세미를 보더니 가득 담긴 커피를 하나 더 들며) 세미야 여기 또 있어

세미 : 응, 고마워 근데 오빠는 커피 안마셔?

진수 : 어, 나는 커피가 안 받아, 잠을 잘 못자

세미 : 히히, 우리오빠 보기보다 촌스럽네, 그럼 내가 다 마신다.

진수 : 그래 많이많이 마셔~

세미 : 오빠 그런데 왜 고속도로로 안가고 이런 국도로 가는 거야? 시간 더 걸리게

진수 : 옛날 추억이 생각나서..

세미 : 추억?

43. 도로 옆

진수가 차를 세웠다.

진수가 내려서 가볍게 스트레칭을 한다. 도로 아래쪽의 작은 강가를 내려다본다.

진수 : 하나도 안변했네, 이렇게나 시간이 흘렀는데

세미 : (진수의 옆에 선다.) 시골 풍경 좋아 보인다. 오빠, 이레서 국도로 온 거구나.

진수의 시선 강가를 주시한다.

강물이 흐르고 있다.

다시 달리는 차의 뒷모습

44. 세미의 고향집

세미가 집으로 바로 들어간다.

세미 : 엄마~ 세미 왔어.

진수는 세미를 아랑곳 하지 않고 신발도 벋지 않고 안방 장롱 쪽으로 간다.

세미 : (전화를 받으며) 어 엄마 어디야? 음 시장 들려서 맛있는 거 사 온다고? 난 벌써 왔지롱, 히히 알았어~ 빨리 와, 보고 싶어!

진수 : (장농 여기저기를 뒤진다.) 뭐야 없잖아?

세미 : 오빠 뭐해? 그 장롱이 아닌데..

집 뒤쪽 오랜 된 물건들이 모아진 방의 장롱 앞

세미 : 그렇게 쉬운데 두었겠어? 나한테 얼마나 소중한 물건인데..

세미 장롱 문을 열고 두 번째 서랍을 연다

세미 : (깊은 곳까지 손을 넣었다. 만져진다.) 역쉬, 그대로 있네..

진수 : (침 꿀꺽, 기대감에 찬 표정)

세미 : 오빠여기! (인형을 들어 보인다. 그런데 처음의 그 고양이 인형이 아니다.)

진수 : (급 당황하는 표정) 그, 그 인형이 아니잖아

세미 : 정말? 근데 이거 말고는 없어

진수 : 아냐, 그럴 리가 (장농 서랍장 통째로 뺀다. 방 여기저기를 흥분해서 살피는데 아무 것도 없다.)

세미 : (진수 옆에 다가가 다시 인형을 내민다.) 오빠 분명 이거라구, 내가 기억하는 건 이거 밖에 없다고...

진수 : (인형을 던져버리고 화낸다) 나한고 장난해? 내가 사준 그 인형 어딨어?

세미 : 갑자기 그게 무슨 말이야? 오빠가 사주다니? 그리고 왜 나한테 화내?

진수 : (세미를 벽으로 몰아 붙있다.) 바른대로 말해! 인형 어딨어?

세미 : (놀라는 세미) 아, 아~

진수 : (세미의 목을 조르는 듯 잡고 흔든다.) 이 멍청한 년이!

세미 : 콜록콜록, 아 오...오빠, 도대체...왜...

진수 : (세미를 옆으로 밀어버린다.) 에잇!

세미 : 아. (옆에 놓여진 물건들도 함께 엎어진다.)

세미 쓰러져 신음하며 일어나지 못 한다

진수가 방안 이곳저곳을 계속해서 뒤진다. 어지럽다.

자신이 찾는 인형이 나오지 않는다.

진수 : 에이, (세미의 인형을 발로 계속 짓 밟더니 세차게 걷어찬다)

세미 : 아... 안돼, 내 인형

세미가 기어가서 힘겹게 인형을 끌어안자 발길질을 더 이상 못한다.

진수 : 이, 시발! 미친년이 놀구 있네!

멀어져 가는 진수의 차

45. 세미의 집

방사능 복이 반쯤 벗겨진 채 벽에 기댄 세미, 몸에 두드러기가 가득하다 머리는 헝크러져 있다. 볼품없다.

인형이 식탁위에 올려져 있다. 세미가 물끄러미 바라본다. 커튼 사이에서 한줄기 빛이 인형을 부분적으로 비춘다. 쓸쓸해 보인다.

세미 : 오빠...

자신의 몸에 난 두드러기를 바라보더니 한숨을 쉰다.

세미 : (긁어대기 시작하는데 손에 피가 묻어난다. 서러움에 운다.) 엉, 엉

평평 울면서 계속 긁어댄다. 뽀루지가 터지며 피가 난다.

병원 약봉지가 눈에 들어온다.

모든 약을 한꺼번에 뜯어 물도 없이 씹어 삼켜 버린다. 광기 어리다.

세미 : 아... 아...

너무 괴로워한다. 온몸을 계속해서 긁으며 벌겋게 피 범벅이 된다.

갑자기 경련을 일으키다. 인형을 바라보며 미친년처럼 웃는다.

갑자기 입에 거품을 물고 쓰러진다.

세미의 시아가 좁아진다. 화면이 검게 변한다.

46. 마을 전체의 전경

어두워진다.

검은 화면, 정막

47. 동네 작은 카페

동수 : 씩,씩, 젠장, 우리 모두 사기 당한거 같아, 말하자면 새 된거지 X도 세미도 벌써 며칠째 소식이 없어, 이런 무책임한 것들

동식 : 아... 세미씨는 어떻게 된 걸까?

동수 : 야, 넌 지금 이 시국에 세미 걱정하냐? 으휴, 끝까지 도움 안되는 녀석.

동식 : (커피를 만들며 조용히) 다들 너무 이기적이야.

동수 : (동식의 커피를 뺏어버린다.) 야, 너 오늘까지만 일해라 이제 너 필요 없으니 다시 시골에나 가버려!

동식 : (동수를 한번 보더니 앞치마를 벋어 바닥에 던지고 곧 바로 가게를 나가버린다.)

동수 : 저, 저자식이!

48. 아영이네 뷰티샾

해변가 사진을 떼버리는 아영의 손, 한번 보더니 인상을 찡그리고 쓰레기통에 던진다.

아영 : 에휴, 나 주제에 무슨 부귀영화를 누려 보겠다고

지원 : 세미는 그 큰 돈을 다 어디다 쓸까?

아영 : 야! 너 아직도 정신 못차렸어? 큰 돈 같은 소리 하고 있네, 지금 생각해 보니까 처음부터 그런 건 없었어, 내가 가게 차린다고 돈이 너무 많이 들어가서 해까닥 한 거야, 한심하게도... 열심히 살 생각을 했어야 하는 건데..

보미 : (쓰레기통의 사진을 다시 주워들며 본다.)

지원 : 예들아, 기분도 꿀꿀한데 선생님 의원 가서 보톡스나 시술 받을까?

아영 : 시술은 무슨? 그 병원 문 닫았어, 뭐 빚쟁이들이 찾아왔다나? 뭐라나?

지원 : 아, 아직은 안돼는데... 내 코는 어떡할거야

아영 : 지원아 너는 맨탈이 강한 거냐? 아님 없는 거냐? 대단하다, 대단해~ 으휴~

보미 : 그래도 잠시나마 내가 꿈 이란 걸 다 꿔 봤네... 뭐 그리 나쁘진 않았던 거 같애 (피식)

49. 의사의 방

삐리리, 삐리리, 오락기계 소리

온라인 도박사이트 게임화면에서 메시지가 뜬다. - “You Lose”

일그러지는 의사의 표정, 담배를 한 모금 빨아드린다, 옆의 벽에 보이는 기울어진 국제공인 자격증(오염치료), 담배꽁초 가득한 재떨이

휴대폰이 진동이 울리는데 받지 않는다.

담배를 꺼내려는데 하나도 남지 않았다.

휴대폰이 진동이 계속해서 울린다.

50. 빵집 앞

문이 닫혀있고 [휴가중] 이라고 써 붙여져 있다.

변호사가 멈추어서 문구를 바라본다. 손바닥으로 한번 쓰다듬더니 고개를 갸우뚱 거린다.

동네를 떠나는 변호사의 발걸음 클로즈업

페이드 아웃

51. 스튜디오

모니터 화면에 세미가 방사능 복을 차림으로 녹색 잎의 화분을 감싸고 있는 사진이 보인다.

감독 : 내가 별 지랄을 다했네, 뭐 이런 말도 안되는 사진을 예술이라며 세미를 옹호 하고 이 난리를 친거야. 괜시리 비싼 출품료만 써버렸네... 한심하다 한심해

스텝 : 그래도 컨셉이 나쁘진 않은데요?

감독 : 무슨 말도 안되는 소리야? 이게 작품이냐? 너는 그동안 내 밑에서 뭘 배운거야?

모니터의 사진위로 메일이 도착 했다는 메시지 창이 떠오른다.

감독님 마우스를 가져다 되며 메일을 열어본다.

순간 감독의 눈이 동그래진다.

[Congratulations! You've been selected as the final candidate for this contest.]
- Fashion at Sensation New York 2024 -

자막 : 축하합니다. 본 콘테스트에 최종후보로 선정 되었습니다.
- 패션 엣 센세이션 뉴욕 2024 -

52. 세미의 집

흐릿한 초점의 인형

점점 뚜렷해진다. 세미가 한참동안 의식을 잃었다 눈을 뜬것이다.

세미 : 아... (겨우 몸을 반쯤 일으켜 냉장고 문을 열었다.)

펫트을 들고 물을 벌컥 벌컥 마신다. 하나를 다 마시고 또 새것을 먹는다.

세미 : 헉, 헉 (숨을 헐떡이다 가다듬는다.)

자신의 팔을 보는데 두드러기가 거의 없다. 몸 이곳저곳을 살피는데 두드러기가 없다.

거울에 얼굴을 바라본다. 물티슈로 닦아 내는데 역시 두드러기가 없다.

빈 약봉지를 집어 들어 한번 쳐다본다. 무언가를 생각한다.

솨~ 솨~ 세미가 샤워를 한다. 바닥으로 핏물이 흘러내려간다.

53. 공원 벤치

세미와 할머니가 함께 있다. (세미는 평상복) 둘 다 물가 쪽을 바라본다.

세미 : 참 이상하죠? 마치 꿈을 꾼 것처럼... 모든 걸 한 번에 얻었다가 하루아침에 다 사라져 버렸어요. 사람들이 저한테 왜 그랬을까요?

잠깐의 정막

할머니 : 그런 일이 있었구나, 그래 몸은 좀 어떠니?

세미 : 약이 사라지니까 신기하게도 좋아졌어요~

할머니 : 모두가 그렇게 접근한 것은 세미가 무엇인가 대단한 것을 가졌다는 걸 알아챘기 때문 일거야, 지금 그렇지 않다면 그 반대인 것을 알아챈 것이고...

세미 : 정말 그런 걸 까요? (눈시울이 붉다) 저는 아직까지도 제가 뭘 가졌는지 도무지 이해 못하겠어요.

할머니 : 그런데 진짜 웃긴 건 다시 가졌다고 눈치 채는 순간 언제 그랬냐는 듯이 돌아올 거야. 지금 나만해도 그렇거든... 주변 사람들이

세미 : (고개를 급 돌린다. 할머니의 말에 무엇인가를 깨달은 표정)

흘러가는 물가 소금쟁이가 수영한다.

할머니 : 내가 왜 갑자기 파지 줍는 일을 그만 둔줄 아니?

세미 : (할머니에게 고개를 돌리더니 잠깐 후 입을 연다) 아니 그보다, 할머닌 처음부터 그런 일을 할 필요도 없을 정도로 부자인데, 이 동네에 땅도 많으시고... 왜 굳이 그 일을 했었는지가 더 궁금해요

할머니 : 고맙잖아... 내가 이 나이에 무엇인가 일을 할 수 있다는 게, 동네도 깨끗해지고, 그래서 감사하는 마음으로 최선을 다했는데, 하루는 그게 잘못된 것이라는 것을 알게 됐어.
내가 이 일을 하게 되면 그만큼 다른 가난한 노인들의 수익이 없어져 생활이 어려워진다는 것을... 나 혼자 착각 한 거지..
자기만족에, 쓸데없는 자부심을 가지고~

세미 : 아.

할머니 : 어느 날 고작 박스 하나를 가지고 두 노인이서 서로 가지려고 싸우는 모습을 보고 그때서야 깨달은 거야, 참 이 나이 먹고 이제 그걸 알다니 나도 참 한심하다. 나 같은 사람들이 오히려 소비를 해줘야 모두가 잘살게 되는 것인데..

세미와 할머니의 뒷모습

할머니 : (반찬보따리를 내민다) 이 일 때문에 입맛도 없을 텐데, 잘 챙겨먹어라

세미 : 세상에나 할머니, 매번 이런 걸..

할머니 : 이번엔 매실 짱아치를 한번 담궈 봤어, 매실도 시골고추장도 아주 좋아~

세미 : 정말 맛있겠어요(입맛을 다신다) 벌써부터 기분이 한결 좋아졌어요

할머니 : 세미야 우리 드라이브 갈까?

세미 : 어디로요?

할머니 : 글세다, 세미가 가고 싶은 곳으로... 나 인제 운전도 제법이라 큰 차 몰고도 멀리까지도 곧 잘 간다. 어디든 말만해

세미 : (상큼하게 미소 짓는다.)

54. 세미의 집

세미가 콧노래를 흥얼거리며 방을 정리한다.

인형을 들더니 식탁위에 올려놓는다. 턱을 괴고 바라보다 머리를 한번 쓰다듬는다.

할머니가 준 반찬 보따리를 푼다, 유리병에 들어있는 매실 짱아찌를 보며 기분이 좋아진다.

유리병의 뚜껑을 열려는 세미, 그런데 좀처럼 열리지 않는다. 오기가 올라 씩씩거리며 계속 힘을 준다.

급작스레 열리면서 짱아찌가 솟구치며 쏟겨버린다. 인형위에 떨어진다.

세미 : 아이고야! 이를 어째...

인형을 집어 드는 세미, 손으로 훌훌 터는데 고추장 자국이 남아있다. 어쩔 줄 몰라하다가 인형의 옷을 벗기기 위해 뒤쪽 단추를 연다

무언가를 발견하는 세미의 표정, 단추가 모두 열리자 인형 안에 또 다른 물체가 들어있다.

세미 : 뭐지?

서둘러 완전히 벗겨보니 처음에 일본에서 산 그 고양이 인형이다.

인형을 돌리며 눈이 마추치자 세미의 눈이 순간 번쩍 뜨인다. 인상이 찡그러지며 무언가 기억이 스쳐 지나간다.

세미 : 아... 이, 이럴 수가 (부들부들 떠는 세미, 심장이 두근두근 뛴다)

55. 세미의 과거 기억 (과거 느낌의 화면)

2011년 (자막)

빨간색 구형 경차가 급하게 멈춰 서더니 남자 한명이 내린다. 한손에는 꽃다발이 보인다.

남자 : 세미야~!

세미 : (수줍은 미소)

뒷 자석에 노트북과 케이스가 열린 컴퓨터 본체(AS스티커가 붙은), 모니터, 키보드 등이 어지

럽게 놓여있고 카메라 앵글이 바닥을 비추며 그대로 돌아 기어레버 위로 세미와 진수의 함께 잡은 두 손.

세미가 꽃향기를 한번 맞다가 고개를 드는데 고급세단(벤츠)이 앞지르며 시선이 따라감

진수 : 아니, 저자식이 나를 무시하나?

진수 악셀을 급하게 밟아버리며 고급세단을 쫒아간다.

진수 : 그래 한번 해보자는 거지!

세미 : 아, 오빠 이러면 위험해!

그런데 차가 얼마 못가 덜덜 거리며 서버린다. (국도 오른쪽 아래로 작은 강가가 있는 장소)

진수 다시 시동을 걸어보지만 소용없다. 핸들을 주먹으로 내리친다.

진수 : 아, 속았네 속았어 딜러세끼 차 멀쩡하다고 호언장담을 하더만, 분명 날 호구로 본거야, 으... 두고봐라! 몇 배로 되 값아 줄꺼니까 (분해서 미칠라 한다)
사기꾼세끼 으악~~!

세미 : 오빠 진정 좀 해, 노력해서 나중에 큰 차 사면되잖아 (진수의 팔을 잡는다)

진수가 세미를 뿌리치고 계속해서 시동을 건다. 드디어 걸렸다.

다시 급 악셀을 밟는 진수

급발진 하는데 오른쪽 에서 사람이 갑자기 올라오는 것이 보인다.

진수 : 어, 어어.... 저건 또 뭐야

그대로 치어버린다.

차를 급히 세우고 밖으로 나온 진수와 세미

진수 : (쓰러진 사람의 맥박을 확인한다) : 죽었나봐

세미 : 오빠, 이제 우리 어떡하지

진수 주위를 살피더니 아무도 없는 것을 확인하고 죽은 사람을 오른쪽으로 밀어 버린다. 아래로 데굴데굴 굴러서 강가에 빠져 버린다. 보이지 않는다.

56. 진수의 차안

안절부절 못하는 세미

진수 : 으, 저 세단 새끼 저 새끼는 갑자기 왜 튀어나와 가지고...

세미 : 오빠, 그게 왜 그 사람 잘못이야, 지금 자수하러 가자

진수 : 자수는 무슨 자수? 이런 시골에 우릴 본 사람도 아무도 없고, 흔적도 없잖아...
이 고물차 나한테 판 사기꾼 새끼랑 앞에 먼저 간 세단새끼 복수하기 전에
그렇게 못해

세미 : 오빠~ 왜 이래? 오빠 원래 그런 사람이었어?

진수 : 너도 다 똑같애! 너도 저 벤츠 쳐다봤잖아. 어디가서 입만 뻥긋해봐 가만히
안 둘테니까!

세미 : 아, 아... 이럴꺼면 나혼자 경찰서로 갈꺼야 (내릴려고 몸을 돌린다.)

진수 : 야! 허세미!

갑자기 그림자가 지고 뒤쪽으로 돌아보며 눈이 커지고 놀란다.

차 뒤 유리 밖으로 대형트럭의 앞모습이 화면을 덮는다.

끼익~ 쾅!

세미, 진수 : 아파, 진짜 아파 아... 아이야

페이드 아웃

57. 정형외과

병실, 2개의 침대

세미와 진수, 목과 가슴 팔에 붕대가 칭칭 감겨져 있다. 목을 겨우 돌려 서로를 마주본다.

진수가 붕대감은 손으로 서류에 싸인을 한다.

보험직원 : 아, 네네... 감사합니다.

밖으로 나가는 보험직원

58. 병원옥상(정원)

링거가 매달린 휠체어에 세미와 진수가 앉아있다.

진수 : 세미야 부탁이야 잘 생각해봐 좋은 게 좋은 거잖아

세미 : 하지만 오빠... 우리땜에 사람이 죽었잖아, 이건..

진수 : (놀래서 주위를 살피는데 아무도 없다.) 그걸 그렇게 크게 떠들면 어떡해!
세미야 갑자기 지금 1200만원이라는 큰돈이 생겼다는 건,
분명 우리한테 온 찬스야 난 이번기회를 절대로~ 절대로 놓칠 수 없어!

세미 : 아... (한숨) 싫어 절대 안돼, 나 혼자라도 자수 할 꺼야!

진수가 휠체어에서 억지로 내려 세미 앞으로가서 애원한다.

진수 : 알았어, 진정하고 내 말 좀 들어봐 세미야, 내가 자수할께, 대신 한 가지만 부탁하자 이번에 일본가서 코인을 구매한 다음에 그러고 바로 자수할께... 그러니
제발 이번만... 이렇게 빌어..

세미 : (애원하는 진수를 바라본다)

59. 일본 (후쿠시마현)

료칸의 정원

진수가 후드를 쓴 남자(뒷모습)와 거래를 하고 있다. 가지고온 돈을 건내더니 인사를 한다.

60. 라멘집

진수 : (인형 얼굴 클로즈업) 이안에 세미 너 몫의 코인 찾을 수 있는 시드구문을 숨겨 놓았어, 몇 년 지나면 세미 너 나한테 감사하게 될 거야, 내가 이런 쪽에 정보가 좀 빠르잖아, 이거 분명 한 거야..

세미 : (진수의 말은 안중에도 없다.) 다 됐지? 부탁 들어 줬으니까 이제 자수하러 가자.

진수 : 휴~ 잠깐만 생각할 시간을 줘

세미 : 생각은 또 무슨 생각?

61. 료칸의 정원

진수 : 그, 그게 세미야 우리 이번일은... 덮는 게 어떨까? 어차피 우린 부자가 될 텐데. 그러면 너도 좋고 나도 좋고, 그리고 결정적으로 이 일은 아무도 모르잖아 본 사람이 없다구

세미 : 무슨소리야! 아무도 모른다니 하늘이 알고 땅이 알아, 그리고 결정적으로 오빠가 한 짓 내가 똑똑히 기억해!

진수 : 뭐!?

세미 : 코인? 난 이딴거 잘 모르겠고 관심도 없어! (평상옆으로 인형을 치운다) 약속 한거랑 틀리잖아 난 돌아가면 무조건 자수 할꺼야, 아니, 여기서 그냥 한국경찰에 바로 전화 걸어 버리는게 좋겠어 (세미 휴대폰을 든다)

진수 : 뭐?! 이 미친년이 (세미를 얼굴을 밀치고 휴대폰을 빼앗아 던져 버린다.)

바닥에서 몸싸움 과 실랑이를 벌인다.

세미 : 아 (맞은 얼굴을 잡고 있다.)

진수 : (일어서서) 그래, 너 혼자 착한 척 많이해라. 이참에 우리 끝내자 끝내, 내 경고 하는데 너 섣부른 짓 했다간 죽여버릴 줄 알어, 똑똑히 들어, 이 사실을 니가 알고 있는 이상 어디가서 입이라도 뻥긋해봐 반드시 죽여 버릴 테니까..

세미 : 오빠, 생각 좀 바르게 해!

세미에게 고양이 인형을 던져 버리는 진수

진수 : 니 몫은 챙겨 줬으니 너도 분명한 공범인줄 알아!

진수 사라진다.

세미, 휴대폰을 주웠는데 액정 파손되어있다. 전화가 걸리지 않는다.

하늘에 "펑~!!!!" 하는 큰소리와 함께 핵 구름이 등장 한다.

급히 귀를 막고 앉는다.

세미 : 꺅~~~! (다시 일어서려다 바닥에 쓰러지며 딱딱 한곳에 머리를 부딪친다. 몸이 대자로 뻗어버린다.)

쓰러진 세미의 얼굴위로 잿가루가 떨어진다. 벌어진 입속으로 들어간다.

세미 : (괴로워한다) 콜록 콜록

세미위에 함께 떨어진 고양이 인형의 얼굴에도 잿가루가 떨어진다.

62. 다시현재 (세미의 집)

세미가 들고 있는 고양이 인형의 모습 과거 잿가루의 흔적이 아직도 연하게 남아 있다.

세미가 인형의 입 깊숙한 곳에 천천히 손을 집어 넣는다.

무언가를 감지한 세미

노트북의 전원을 켠다.

코인을 인출하는 방법에 대한 설명을 검색한다. 독수리 타자로 움직이는 손, 시간이 흘러 저녁이 되었다.

드디어 접속하는데 성공한다.
[비트 코인 인출을 위한 전자지갑에 접속하려면 12개의 시드구문을 정확하게 기입하십시오.]

화면에 시드구문을 입력하기 위한 12개의 네모 칸이 떴다.

세미가 의미심장한 눈으로 바라본다.

종이를 펼쳐 적어 놓은 12개의 단어를 하나씩 적는다.

11개 단어를 기업하고 마지막 12번째 단어를 기입하려 하는데 그 부분이 단무지 모양의 얼룩으로 색이 바래서 무엇인지 알아 볼 수 없다. 세미 가까이 가져다 되고 유심히 살핀다.

마지막 시드구문 칸에 무엇인가 단어를 기입한다.
[시드 구문이 일치 하지 않습니다. 다시 한 번 확인하세요.]

세미 책상 위 스탠드의 밝은 조명에 종이를 비추며 더욱 유심히 바라본다.

마지막 시드구문 칸에 무엇인가 단어를 기입한다.
[시드 구문이 일치 하지 않습니다. 다시 한 번 확인하세요.]

한 번 더 시도한다.

다시 마지막 시드구문 칸에 무엇인가 단어를 기입한다.
[시드 구문이 일치 하지 않습니다. 다시 한 번 확인하세요.]

잠깐 생각을 한후 다른 단어로 한 번 더 시도한다.
[시드 구문이 일치 하지 않습니다. 다시 한 번 확인하세요.]

다시 스탠드의 밝은 조명에 종이를 가져다 되고 눈을 크게 뜨고 유심히 바라본다. 종이의 반대 쪽도 살핀다.

다시 마지막 시드구문 칸에 무엇인가 단어를 기입한다.
[시드 구문이 일치 하지 않습니다. 다시 한 번 확인하세요.]

잠깐 생각을 한 후 다시 마지막 시드구문 칸에 무엇인가 단어를 기입한다.
[시드 구문이 일치 하지 않습니다. 다시 한 번 확인하세요.]

세미 : (눈을 지그시 감는다.)

식탁 위 세미의 전화기가 울린다. [엄마] 이다.

세미가 고개도 돌아보지 않고 다시 키보드를 친다.

타자를 치는 세미의 손

카메라가 세미의 방 창문으로 이동한다.

창문을 통해 보이는 마을의 전경 (밤)

63. 밖에서 본 세미의 집 창문

동수가 한 치 멀리서 불이 켜진 세미의 창문을 바라본다.

마을에 해가 뜨는 전경 (세미의 타자치는 손)

마을에 해가 지는 전경 (세미의 타자치는 손)

마을의 밤 하늘, 올라가면서 작은 눈송이가 내리기 시작한다.

화면배경이 완전히 검게 변하며 (타자치는 소리)

엔딩크레딧

〈방사능 소녀. END〉

방사능 소녀

발　행 | 2024년 04월 18일
저　자 | 김일동
펴낸이 | 한건희
펴낸곳 | 주식회사 부크크
출판등록 | 2014.07.15.(제2014-16호)
주　소 | 서울시 금천구 가산디지털1로 119, SK트윈타워 A동 305호
전　화 | 1670-8316
이메일 | info@bookk.co.kr

ISBN | 979-11-410-8181-2

www.bookk.co.kr